*Mit
freundlichen Empfehlungen*

GÖDECKE AG

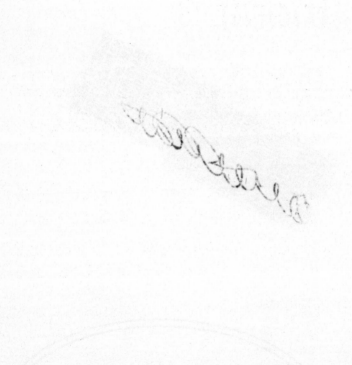

U. Hankemeier I. Bowdler
D. Zech (Hrsg.)

Tumorschmerz-
therapie

Mit Beiträgen von

E. Aulbert I. Bowdler F. Brandt U. Hankemeier
E. D. Kreuser F. Porzsolt K. Schüle-Hein
S. A. Schug D. Zech H. R. Zielinski

Geleitwort von R. Gross

Mit 29 Abbildungen und 12 Tabellen

Springer-Verlag Berlin Heidelberg New York
London Paris Tokyo Hong Kong

Dr. med. Ulrich Hankemeier
Institut für Anästhesiologie, Evangelisches Johannes-Krankenhaus
Schildescher Straße 99, D-4800 Bielefeld 1

Dr. med. Ingrid Bowdler, M. B., Ch. B.
Universitätsklinik für Anästhesiologie, Sektion Schmerztherapie
Prittwitzstraße 43, D-7900 Ulm

Dr. med. Detlev Zech
Institut für Anästhesiologie der Universität Köln, Schmerzambulanz
Joseph-Stelzmann-Straße 9, D-5000 Köln 41

ISBN 3-540-50645-4 Springer-Verlag Berlin Heidelberg New York
ISBN 0-387-50645-4 Springer Verlag New York Berlin Heidelberg

CIP-Kurztitelaufnahme der Deutschen Bibliothek
Tumorschmerztherapie / U. Hankemeier . . . (Hrsg.). Mit Beitr. von E. Aulbert . . .
Geleitwort von R. Gross. –
Berlin; Heidelberg; New York; London; Paris; Tokyo; Hong Kong: Springer, 1989
ISBN 3-540-50645-4 (Berlin . . .) brosch.
ISBN 0-387-50645-4 (New York . . .) brosch.
NE: Hankemeier, Ulrich [Hrsg.]

Geleitwort

Der Schmerz gehört zu den Urphänomenen des menschlichen Lebens. Er reicht im positiven Sinne von der frühzeitigen Warnung bis zum Dauerschmerz, der das Endstadium eines Tumorleidens belasten kann. Da es zu den häufigsten Aufgaben ärztlichen Tuns gehört, dort, wo man nicht mehr kurativ helfen kann, wenigstens die Erscheinungen zu lindern, ist eine sinnvolle Behandlung und Vermeidung von Schmerzen bei unheilbar Kranken, vor allem mit Tumorleiden, eine unserer wichtigsten Aufgaben.

Möglichst schonend und doch optimal vorzugehen, erfordert allerdings genaue Kenntnisse über die Entstehung und Lokalisation, ihre etwaige Projektion sowie eine Ausschöpfung des gesamten psychologischen, pharmakologischen, radiologischen, chirurgischen und neurochirurgischen Arsenals von Maßnahmen, die uns heute zur Verfügung stehen. Darüber gibt das von Hankemeier, Bowdler und Zech unter Mitarbeit von 7 weiteren Kollegen herausgegebene Buch erschöpfende Auskunft. Sie reicht von der offenen Aussprache bis zu den pharmakologischen, systemischen und gezielten Maßnahmen.

Gerade die Zusammensetzung der Autoren gewährleistet, daß man alles findet, was man zur Schmerzbehandlung im Endstadium etwa eines soliden Tumors mit oder ohne Metastasen benötigt (und wer hätte solche Patienten nicht?).

Dem Buch, das ich mit Gewinn gelesen habe, kann ich nur eine weite Verbreitung wünschen.

Köln, im Mai 1989 *Prof. Dr. med. Dr. h. c. R. Gross*

Vorwort

Nach wie vor ist die schmerztherapeutische Versorgung der Tumorpatienten unzureichend, obwohl insbesondere in den letzten beiden Jahrzehnten bedeutende Fortschritte erzielt wurden. So sind – basierend auf den Erfahrungen der Schmerzzentren und Kliniken des angloamerikanischen Raumes – zahlreiche medikamentöse Stufenpläne publiziert worden, die sich zwar bewährt haben, andererseits aber auch zeigen, daß diese „schematischen" Behandlungsvorschläge durch eine individuelle Anpassung der Therapie auf die jeweilige Schmerzart und die Bedürfnisse des einzelnen Patienten erweitert werden müssen. Mit dieser Anpassung meinen wir nicht nur die medikamentöse Therapie, sondern auch anästhesiologische, neurochirurgische und psychosozial orientierte Maßnahmen. Neben der palliativen Schmerzkontrolle aus strahlentherapeutischer und internistisch-onkologischer Sicht muß von diesen Fachbereichen eine kurative Therapiemöglichkeit fortlaufend geprüft werden.

Tumorschmerztherapie verlangt also nach Interdisziplinarität, verlangt aber auch nach einer Gewichtung der zahlreich vorgeschlagenen Methoden. Bewußt haben wir deshalb auf schablonenartige Therapievorschläge weitgehend verzichtet.

Wir haben vielmehr den Versuch unternommen, unterschiedlichen Schmerzsyndromen eine Rangfolge geeigneter Therapien zuzuordnen.

Es ist nicht Ziel dieses Buches, alle zur Zeit praktizierten Methoden zur Tumorschmerztherapie aufzulisten oder umfassende technische Anweisungen zu geben, die zur erstmaligen Durchführung der invasiven Methoden ausreichend sind. Dazu wird auf geeignete Fachliteratur verwiesen.

Wir gehen davon aus, daß insbesondere der Versuch, eine Rangfolge geeigneter Schmerztherapien vorzuschlagen, nicht ohne

Widerspruch bleibt. Unsere Leser möchten wir zur Kritik ermuntern.

Ganz herzlich dürfen wir den Kollegen danken, die nicht nur mit Beiträgen dieses Behandlungsspektrum dargestellt, sondern sich auch an der manchmal nicht einfachen interdisziplinären Diskussion beteiligt haben.

Nicht zuletzt möchten wir auch dem Springer-Verlag – und hier der Arbeitsgruppe um Herrn Priv.-Doz. Dr. Graf-Baumann – und unseren Mitarbeitern für die Geduld und Sorgfalt bei Erstellung des Manuskriptes bzw. des Druckes danken.

Bielefeld/Ulm/Köln, im Juni 1989   *U. Hankemeier*
                                          I. Bowdler
                                          D. Zech

Inhaltsverzeichnis

Wahrhaftigkeit und Aufklärung in der Medizin. Kriterien
zur Wahrheitsfindung *(H. R. Zielinski)* 1

Grundlagen der Behandlung
(I. Bowdler, U. Hankemeier, D. Zech und S. A. Schug) 10

Medikamentöse Therapie *(D. Zech und S. A. Schug)* 25

Chemische Neurolysen *(U. Hankemeier)* 62

Rückenmarknahe Applikation von analgetisch wirkenden
Substanzen *(I. Bowdler)* 76

Neurochirurgische Operationsverfahren *(F. Brandt)* 93

Palliative Strahlenbehandlung *(K. Schüle-Hein)* 102

Internistische Therapie *(E. D. Kreuser und F. Porzsolt)* . . . 124

Psychische Grundlage von Schmerzempfindung,
Schmerzäußerung und Schmerzbehandlung
(E. Aulbert und U. Hankemeier) 134

Allgemeine supportive Maßnahmen *(I. Bowdler)* 143

Schmerztherapie beim sterbenden Patienten
(D. Zech und S. A. Schug) 147

Kasuistik *(I. Bowdler, U. Hankemeier und D. Zech – unter
Mitarbeit von F. Brandt, K. Schüle-Hein und S. A. Schug)* . . 150

Sachverzeichnis 157

Autorenverzeichnis

Priv.-Doz. Dr. med. E. Aulbert
Innere Abteilung, Evangelisches Waldkrankenhaus Spandau,
Stadtrandstraße 555, D-1000 Berlin 20

Dr. med. I. Bowdler, M. B., Ch. B.
Universitätsklinik für Anästhesiologie, Sektion Schmerztherapie,
Prittwitzstraße 43, D-7900 Ulm

Dr. med. F. Brandt
Neurochirurgische Abteilung, Knappschaftskrankenhaus,
Dorstener Straße 151, D-4350 Recklinghausen

Dr. med. U. Hankemeier
Institut für Anästhesiologie, Evangelisches Johannes-Krankenhaus,
Schildescher Straße 99, D-4800 Bielefeld 1

Priv.-Doz. Dr. med. E. D. Kreuser
Freie Universität Berlin, Universitätsklinikum Steglitz,
Abt. Innere Medizin (Hämatologie/Onkologie),
Hindenburgdamm 30, D-1000 Berlin 45

Priv.-Doz. Dr. med. F. Porzsolt
Tumorzentrum der Universität Ulm, Robert-Koch-Straße,
Oberer Eselsberg, D-7900 Ulm

Dr. med. K. Schüle-Hein
Abteilung Strahlentherapie, Universitätsklinikum Essen,
Hufelandstraße 55, D-4300 Essen

Dr. med. S. A. Schug
Institut für Anästhesiologie der Universität Köln, Schmerzambulanz,
Joseph-Stelzmann-Straße 9, D-5000 Köln 41

Dr. med. D. Zech
Institut für Anästhesiologie der Universität Köln, Schmerzambulanz,
Joseph-Stelzmann-Straße 9, D-5000 Köln 41

M. Litt. Cantab. H. R. Zielinski
Bildungsforum Chirurgie, Universität Köln,
Joseph-Stelzmann-Straße 20, D-5000 Köln 41

Wahrhaftigkeit und Aufklärung in der Medizin
Kriterien zur Wahrheitsfindung

H. R. Zielinski

Medizinische Aspekte

Ein Arzt sollte immer zunächst das Gesamtwohl des Patienten im Auge haben. Bei der Frage der Wahrheitsmitteilung an einen Kranken muß er deshalb entscheiden: Was kann ich dem Patienten mitteilen, zu welcher Zeit und in welcher Form kann ich ihm etwas sagen, ohne ihn zu schädigen? Er wird z. B. bei einem akut vom Herzinfarkt bedrohten Patienten im Hinblick auf die möglichen gesundheitlichen Folgen anders vorgehen müssen als bei einem chronisch Kranken mit noch gutem Allgemeinbefinden.

Untersuchungen weisen darauf hin, daß der Lebenswille eines Kranken Einfluß auf den Krankheitsverlauf haben kann (Meerwein 1980). Der Kranke muß, wie jeder Mensch überhaupt hoffen können. „Hoffen heißt, Zukunft vor sich sehen" (Ansohn 1969, S. 34).

In der Absicht, dem Kranken die lebenswichtige Hoffnung nicht nehmen zu wollen, empfahl Hippokrates, vor dem Kranken das meiste zu verbergen, „... indem man ihm nichts von dem, was kommen wird und ihn bedroht, verrät, denn schon viele sind hierdurch ... zum Äußersten getrieben worden ..." (Ansohn 1969, S. 24).

Statistiken zeigen, daß die Suizidrate bei über ihre Erkrankung aufgeklärten Patienten im allgemeinen und im besonderen auch bei Karzinompatienten nicht über dem Bevölkerungsdurchschnitt liegt (Köhle et al. 1973, S. 2500; Pöldinger 1981, S. 3109; Meerwein 1985, S. 71).

Somit ist der Satz Hufelands: „Den Tod verkündigen heißt den Tod geben" (Grosse-Brockhoff 1981) in diesem wörtlichen Sinne nicht zu belegen. Es kann jedoch in keinem Fall Aufgabe des Arztes sein, einem Kranken dessen Tod zu verkünden.

Der Arzt darf den Kranken aber auch nicht im hippokratischen Sinn in völliger Unklarheit über seinen Zustand lassen, nicht nur im Hinblick auf pragmatische Gesichtspunkte, wie die Regelung des Nachlasses, sondern v. a. aus Achtung vor dessen persönlicher Würde. Der anzustrebende Weg zwischen diesen beiden Extremen besteht darin, den Patienten sich nach dessen Ermessen an die Wahrheit herantasten zu lassen.

Damit wird der Tatsache Rechnung getragen, daß bei den meisten Patienten ein „Vorwissen" um die Lebensbedrohlichkeit ihrer Erkrankung besteht. Sie erreichen auch ohne ärztliches Zutun „... ‚middle knowledge' als Resultat von Informationsmöglichkeiten einerseits und Abwehrvorgängen gegen das Bewußtwerden der Bedrohung andererseits ..." (Köhle et al. 1973, S. 499; Meyer 1976, S. 60).

Einige Patienten der Düsseldorfer Studie zur Frage der Wahrheitsmitteilung bei wahrscheinlich todbringender Erkrankung sagten, es sei für sie beunruhigender, im unklaren über ihren Zustand zu sein, als die „Wahrheit" darüber zu wissen. Sie bestätigen damit die Aussage entsprechender Fachliteratur (Kelly u. Friesen 1950, S. 825; Zielinski 1981/82).[1] Dem entspricht ein Ergebnis der Mannheimer Studie, bei dem 99 von 106 Patientinnen bejahten: „Ich glaube, es fördert die Heilung, wenn ich über meine Krankheit Bescheid weiß" (Lütgemeier et al. 1981).

Bei der Frage nach der Information, die das Gesamtwohl des Menschen zu verantworten hat, geht es weniger darum, was dem Patienten gesagt werden sollte, als vielmehr um die Frage des „Wie". Darauf weist nach Meerwein auch die Tatsache hin, daß es immer die gleichen Ärzte seien, die vor den Folgen einer zu weitgehenden Patienteninformation warnten und über ihre eigenen schlechten Erfahrungen damit berichteten.

Individuell-psychologische Aspekte

Den Patienten betreffend: Die Ergebnisse der Düsseldorfer Patientenstudie zeigen: Jeder Patient verlangt eine individuelle Lösung des Problems, wie ihm die Wahrheit mitgeteilt wird. „Es gibt nicht *das* Krankenbett. Es gibt nur unzählige kranke Menschen, Männer und Frauen jeden Alters, jeder Weltanschauung, jeder Bildungsstufe, jeder Stellung zu ihrer Krankheit, ihrer Umwelt und ihrem Arzt" (Ansohn 1969, S. 16). Inwieweit und wie dem Patienten die „Wahrheit" über seinen Zustand mitzuteilen ist, ist von folgenden Faktoren abhängig:

- Primärpersönlichkeit des Patienten,
- seine akute seelische Verfassung,
- seine klinische und familiäre Umwelt,
- Person des Arztes.

---

[1] Kelly u. Friesen (1950): „Moreover, many of them stated that they worried more about the unknown and felt they prefered to know they had cancer, even if it was bad news, because it removed the indefiniteness of the situation." So auch Zielinski (1976): Eine Patientin sagte: „I think it would have been more worrying not to have known."

Das wirkliche Bedürfnis des Kranken, über seine Krankheit informiert zu werden, zu erkennen und gleichzeitig seine Reaktion auf Mitgeteiltes vorherzusehen, ist für den Arzt ein Hauptproblem der Wahrheitsmitteilung. Dabei ist das wirkliche Anliegen des Patienten von mutigen verbalen Äußerungen zu unterscheiden, die nur zum Ziel haben, den Arzt zu den erhofften positiven Aussagen zu bewegen. Diese Einschätzung ist insbesondere ein Problem für den Arzt im Krankenhaus, der seinen Patienten und dessen Lebensgeschichte zumeist nur sehr oberflächlich kennt.

Eine im Seminar für ärztliche Ethik an der Universität Düsseldorf erarbeitete Studie zur Wahrheitsmitteilung bei wahrscheinlich zum Tode führender Erkrankung sollte für diese Aufgabe Orientierungshilfen geben. Sie macht deutlich, daß die persönlichen Lebensbedingungen des Patienten einen Einfluß haben auf sein Informationsbedürfnis.

Den Arzt betreffend: „Das Problem der ‚Wahrheitsmitteilung' am Krankenbett liegt zu einem nicht geringen Teil im Mitteilenden selbst" (Zielinski 1986, Anl. II).

„Und es gibt auch nicht den Arzt, es gibt Ärzte in allen Schattierungen von Wissen, Erfahrung und Humanität. Jeder Kranke braucht seine Antwort, und jeder Arzt kann nur seine Antwort geben" (Ansohn 1969, S. 16).

Die „Antwort" des Arztes auf die Fragen des Patienten wird häufig unzulänglich sein, besonders im Falle todbringender Erkrankung.

Dafür gibt es mehrere Gründe, die zum großen Teil jedoch auch mit seiner sozialen Rolle und mit der Gesellschaft eng zusammenhängen:

- Der Mensch „Arzt" vermag nicht mehr zu leisten, als es in der Gesellschaft, in der er lebt, erwartet werden kann. Altern, Sterben und Tod werden häufig aus dem Alltag verdrängt, die davon Betroffenen in Institutionen abgeschoben.
- Im Krankenhaus entspricht das Verhalten aller Beteiligten der allgemeinen Hilflosigkeit gegenüber Tod und Sterben. Bei moribunden Patienten sind die Visiten kürzer, solche Patienten werden nicht selten in Badezimmer oder andere Funktionsräume (sog. „Sterbezimmer") verlegt.
- Die Frage nach dem Sinn des Krankseins und Sterbens stellt sich heute den meisten Menschen, da nur wenige sie für sich religiös beantworten können, ganz unmittelbar.

Der Arzt müßte also, indem er über seinen eigenen Tod schon „ins reine gekommen ist", mehr „leisten" können als die meisten anderen Menschen. In der Regel ist er damit überfordert und projiziert z. B. die eigene Angst vor dem Sterben in den Kranken hinein, hält seine eigenen Ängste für diejenigen des Patienten und behandelt diesen seinem eigenen Wunsch nach Verdrängung entsprechend. Kübler-Ross (1974) stellte fest, daß immer diejenigen Ärzte ein Bedürfnis nach Verleugnung bei ihren Patienten fänden, die selbst Verleugnung der eigenen Sterblichkeit brauchten, daß dagegen jene Ärzte, die dieses Bedürfnis nicht hätten, in der Lage seien, über eine tödliche Krankheit zu sprechen und auch ihre Patienten dazu häufiger fähig befänden. Der Wunsch nach angeblicher Verleugnung des Patienten sei direkt proportional dem Verdrängungswunsch des Arztes.

Amerikanische Studien ergeben, „daß Ärzte eher eine größere Angst vor dem Tod haben als andere Berufe, aber diese Ängste abwehren" (Bräutigam u. Christian 1981, S.236).

– Eine tödliche Erkrankung bringt den Arzt aber auch in Konflikt mit seinem eigenen Anspruch an sich selbst, den Patienten zu heilen, sowie mit den – seinem Status entsprechenden – Erwartungen seiner Umwelt an ihn.
– Die Mitteilung eines Arztes an einen Patienten, dieser leide an einer unheilbaren Erkrankung, gegen die dem Arzt kein Heilmittel zur Verfügung stehe, hat Konsequenzen für die weitere Beziehung beider. Es wäre unmenschlich, dem Patienten dies zu sagen und ihn dann mit seinen Ängsten allein zu lassen. Durch diese Mitteilung begibt sich der Arzt in eine besondere Verpflichtung dem Patienten gegenüber, für ihn dazusein. Diesen Anspruch spürend, schützen sich viele Ärzte, indem sie dem Patienten und auch sich selbst immer neue und dabei auch unrealistische Hoffnungen machen.

Ethische Aspekte

Die Entscheidung eines Arztes kann nie allein auf medizinischen Kriterien basieren, wenngleich diese das Verhalten des Arztes immer leiten werden. Die Frage, inwieweit und wie ein Patient aufgeklärt werden will bzw. soll, ist nicht nur naturwissenschaftlich-medizinisch beantwortbar. Eine Antwort läßt sich nur durch psychologisches Verständnis für die Situation des Patienten und aus einer ethischen Grundhaltung heraus finden. Hinsichtlich seines Informationsverhaltens einem schwerkranken Patienten gegenüber kann der Arzt nicht in dem Maße routinemäßig vorgehen, wie dies im Bereich seiner medizinischen Wissenschaft manchmal möglich ist. Um im Einzelfall entscheiden zu können, braucht er Maßstäbe, die auf theoretischer Reflexion beruhen. Jaspers formuliert: "[Er . . .] wird zum Arzt, indem er die Synthese von Biologie und Anthropologie, die das eigentümliche Wesen der Heilkunde ausmacht, in sich selbst vollbringt" (zit. in Ansohn 1969, S.17).

Ethische Normen zur Wahrheitsmitteilung

Wahrhaftigkeit als sittliche Grundhaltung des Menschen ist die "Übereinstimmung der Denkoffenbarung in Wort und Tat mit dem Denken selbst" (Schmidt 1943, S.162), wobei Thomas von Aquin als Theologe unterscheidet zwischen Wahrheit als „... Übereinstimmung des Verstandes oder eines Zeichens mit der erkannten oder bezeichneten Sache ..." (Th. IIa-IIae q. 109,1) und der Wahrheit oder Wahrhaftigkeit, die die Wahrheit im engeren Sinne als Gegenstand oder Ziel hat.

Das bedeutet, daß derjenige, der wahrhaftig sein will, den anderen die wirkliche Wahrheit mitteilen muß.

Das Recht auf Wahrheit ist - nach Thomas von Aquin - ein Naturrecht des Menschen. „Weil der Mensch ein Gemeinschaftswesen ist, schuldet der eine dem anderen von Natur aus das, ohne welches die menschliche Gesellschaft nicht erhalten werden könnte. Nun können die Menschen kein Gemeinschaftsleben führen, wenn sie sich nicht gegenseitig glaubten als solche, die einander die Wahrheit mitteilen. Daher geht auch die Tugend der Wahrheit in gewissem Sinne auf etwas Geschuldetes" (Th. IIa-IIae q. 109,3).

So entbehrt menschliches Leben jeglicher Glaubwürdigkeit, wenn die Menschen sich nicht vertrauen können.

Reine Sachinformation ist aber nicht Ausdruck der Wahrheit. Thomas schreibt, daß die Tugend der Wahrheit in zweifacher Weise in der Mitte liegt, zwischen „einem Zuviel und einem Zuwenig. Einmal vom Gegenstand her, weil das Wahre seinem Wesen nach eine Gleichheit darstellt. Das Gleiche liegt in der Mitte, zwischen dem Großen und dem zu Kleinen.

Von seiten des Aktes bewahrt sie eine Mittelstellung, sofern sie die Wahrheit sagt, wann und wie es am Platze ist.

Ein Zuviel aber findet sich bei dem, der zur Unzeit über seine Angelegenheiten redet, und ein zuwenig bei dem, der verheimlicht, wenn er offenbaren müßte" (Th. IIa-IIae q. 109,2).

Allerdings kann die Tugend der Wahrhaftigkeit in Konflikt geraten mit anderen Tugenden, z.B. der Gerechtigkeit, Klugheit, Diskretion und Liebe. Der Konflikt zwischen den verschiedenen Werten kann oft nur durch das Zurücktreten einer Tugend gelöst werden.

So ist die Wahrhaftigkeit die Kunst des Abwägens zwischen der Verschleierung und einer Ehrlichkeit ohne Einfühlungsvermögen.

Mitgeteilte Fakten können in einem bestimmten Kontext Lüge sein, wenn sie, obgleich sachlich richtig, im übergeordneten Zusammenhang beim Adressaten ein falsches Bild ergeben.

So darf es sich nicht bloß um eine reine Informationsweitergabe handeln, denn der Wahrhaftigkeit wird erst dann genüge getan, wenn – über die rein informative Basis hinausgehend – dem Hintergrund und Sinngehalt des Tuns und seiner letzten Begründung nachgegangen wird.

Das wiederum geschieht nur in einem Prozeß der persönlichen Auseinandersetzung mit der Wahrheit – sowohl des Mitteilenden wie des Zuhörenden. Ohne Bereitschaft des letzteren zur Annahme der Mitteilung verfehlt sie ihren Sinn.

Gerade bei der Wahrheitsmitteilung am Krankenbett geht es nicht nur um richtige und unpersönliche Information, denn der medizinische Befund bzw. die Diagnose ist nicht die Wahrheit, sondern nur ein Teil der Wahrheit, da die Diagnose richtig oder falsch gestellt sein kann, aber nicht „wahr" ist.

Die Mitteilung der Diagnose steht gleichsam am Anfang einer Wegstrecke, die der Begleiter zusammen mit dem Patienten zurücklegen muß.

Die „Wahrheit am Krankenbett" entscheidet sich an unserer Fähigkeit, mit dem Patienten so in Kommunikation zu treten, daß er in der Lage ist, selbst nach seinem Zustand zu fragen oder bei der Entscheidung für eine Therapie mitzuhelfen. Es geht darum, dem Patienten die Wahrheit so zu sagen, daß er sie sich selber sagen, sie selber erleben kann.

Wenn ein Autofahrer auf der Autobahn ein Wegzeichen sieht, kann er seinen Blick bewußt darauf verweilen lassen oder aber nicht weiter darauf schauen.

So sollte auch die Wahrheit gleichsam als Wegzeichen an den Weg des Patienten gestellt werden, damit er – wie der Autofahrer – den Informationsgehalt ablesen kann. Die Wahrheitsmitteilung ist ein Prozeß, der ohne fortdauernde Kommunikation unmöglich ist. In diesem Prozeß kann der Patient möglicherweise eine Sinnhaftigkeit seines Leidens erkennen und es dadurch besser tragen: Jede Sinnhaftigkeit ist an Dialogfähigkeit gebunden, d. h. an die Erfahrung der Mitmenschlichkeit.

Solange ein Mensch Kommunikation und durch sie Sinnhaftigkeit erfährt, ist er in der Regel auch fähig und willens, Leiden zu ertragen.

Das Ziel des ärztlichen Verhaltens muß daher sein, mit dem Patienten in diesen Prozeß einzutreten, nicht aber ihm auf eine tastende Frage hin zu einer vermeintlich „klaren Auskunft" zu verhelfen oder gar ihn mit beruhigender Zusicherung zum Schweigen zu bringen.

Der Patient soll aus seiner Isolation herausgeholt werden, und er muß die Solidarität spüren, mit der der Arzt sich ihm verbunden weiß.

Die Achtung vor der Persönlichkeit des Patienten erfordert Wahrhaftigkeit, denn schon die Möglichkeit, daß der Kranke die ihm verbleibende Zeit besser nutzen könnte, wenn er wahrheitsgemaß informiert wäre, darf den Arzt niemals zu einer Lüge veranlassen (Senn 1985).[2]

Zusammenfassende Forderungen

1) Der Arzt sollte nie das Mittel der Lüge anwenden. Es widerspricht der Würde des Patienten, zerstört sein Vertrauensverhältnis zum Arzt und verbaut dem Patienten die Möglichkeit, sich nach und nach durch Fragen an die Wahrheit heranzutasten.

2) Der Arzt muß und darf die ganze Wahrheit auch nicht „undosiert" sagen, um wahrhaftig zu sein. Im Wahrhaftigsein muß der Arzt entscheiden, was er sagt, und vor allem, wie er etwas sagt.

3) Ausmaß und Zeitpunkt der Mitteilungen sollten durch den Patienten bestimmt werden. Das heißt aber nicht, daß der Arzt auf direkte Fragen des Patienten warten darf. Er sollte auch für nonverbale Fragen und indirekte Äußerungen des Patienten sensibel sein. Damit der Patient das Ausmaß des Mitzuteilenden selbst bestimmen kann, darf der Arzt nicht alle Fakten in einem einzigen Gespräch an den Patienten herantragen wollen. Dieser Grundsatz kollidiert jedoch häufig mit der Aufklärungspflicht des Arztes vor medizinischen Eingriffen, die ihm der Gesetzgeber vorschreibt. Es wäre wünschenswert, daß der Arzt in der Gesprächsführung intensiver ausgebildet würde, um die Signale, die vom Patienten kommen, entsprechend aufnehmen und umsetzen zu können.

4) Der Arzt sollte es vermeiden, Aussagen über die dem Patienten verbleibende Lebenszeit zu machen. Er kann zwar Statistiken im Kopf haben, nicht aber den individuellen Verlauf der Erkrankung vorhersagen. Durch die Nennung einer statistischen Lebenserwartung kann er – vielleicht völlig zu Unrecht – die Hoffnung des Patienten lähmen.

---

[2] Nach Senn gibt es folgende Gründe für eine offene Information bei Patienten mit Malignomerkrankungen.

1) Vermeiden der kommunikativen Isolation des Tumorpatienten von seiner Umgebung.

2) Die ohnehin gesellschaftspolitisch sinkende Glaubwürdigkeit des Arztes soll nicht noch durch „Unwahrhaftigkeit" aufs Spiel gesetzt werden.

3) Man darf den Patienten nicht um wertvolle Lebenszeit betrügen (nötige Konfliktverarbeitung, Reifungs- und Ablösungsprozeß, Handlungsfreiheit wahren).

4) Das Verständnis des Patienten für seine Krankheit und deren eventuell nötige einschneidende Behandlungsschritte ist zu wecken (Kooperation).

5) Medizinische Pflege und seelische Führung des Patienten können in der Krise erleichtert werden.

6) Ehrliche Hoffnung und Trost sind besser als Illusionen.

Wird er nach Zahlen gefragt, so sollte der Arzt sich bemühen, realistische Hoffnungen zu machen, indem er z. B. auf günstige Verläufe verweist; er sollte auf jeden Fall auf die Unzulänglichkeit statistischer Werte für den Einzelfall hinweisen.

5) Zu ethisch verantwortbarem Handeln gehört nicht zuletzt, daß der Patient mit seiner Krankheit nicht allein gelassen wird. Der Krankenhausalltag läßt dem Arzt sicher keine Zeit zu einer intensiven Sterbebegleitung. Jedoch bewirken wenige Gesten und Sätze der mitmenschlichen Anteilnahme schon viel. Auch ist schon viel erreicht, wenn der Patient vom Pflegepersonal und von den Ärzten nicht „gemieden" wird, sondern wenn er aus deren Verhalten erkennen kann, daß man ihn nicht aufgegeben hat.

Literatur

Ansohn E (1969) Die Wahrheit am Krankenbett. Pustet, Salzburg München
Aquin T von: Summatheologiae
Bräutigam W, Christian P (1981) Psychosomatische Medizin, 3.Aufl. Thieme, Stuttgart New York
Eid V, Frey R (1978) Sterbehilfe, oder wie weit reicht die ärztliche Behandlungspflicht. Grünewald, Mainz
Grosse-Brockhoff F (1981) Wahrheitsmitteilung – Ja oder Nein. In: Zielinski HR (Hrsg) Prüfsteine medizinischer Ethik II. Bayer AG, Leverkusen
Kelly WD, Friesen SR (1950) Do cancer patients want to be told? Surgery 27: 822
Köhle K et al. (1973) Das Gespräch mit dem Malignomkranken. Therapiewoche 30: 2498–2504
Koller M (1975) Der Arzt gegenüber der Ganzheit des Patienten: Mittragende Persönlichkeit oder Kurpfuscher der Seele? Eine Diskussion dieser Frage auf der Grundlage von Gedanken Karl Jaspers. Juris, Zürich
Kübler-Ross (1974) Was können wir noch tun? Antworten auf Fragen nach Sterben und Tod. Kreuz, Stuttgart
Leuenberger R (1977) Die Wahrheit am Krankenbett. In: Wunderli J, Weisshaupt K (Hrsg) Medizin im Widerspruch: Für eine humane und an ethischen Werten orientierte Heilkunde. Olten, Freiburg
Lütgemeier I et al. (1981) Psychologische Untersuchung über den Wunsch der Patienten nach Aufklärung und Information. Med Welt 32: 46
Mauksch HO (1978) Der organisatorische Kontext des Sterbens. In: Kübler-Ross E (Hrsg) Reif werden zum Tode, 4.Aufl. Kreuz, Stuttgart
Meerwein F (1980) Umgang mit sterbenden Patienten. Kassenarzt 20: 21
Meerwein F (1985) Einführung in die Psycho-Onkologie. Brockhaus, Stuttgart
Meyer JE (1976) Die Krebskrankheit, psychologische Aspekte ihrer Erkennung und Behandlung. Das Ärztliche Gespräch 24: 58–63
Pöldinger W (1981) Wahrhaftigkeit am Krankenbett: Auch bei Tumorpatienten? Therapiewoch 31: 18
Schmidt, H (1943) Philosophisches Wörterbuch, 10.Aufl. Kröner, Stuttgart
Senn HJ (1985) Wahrhaftigkeit am Krankenbett. In: Meerwein F (Hrsg) Einführung in die Psycho-Onkologie. Brockhaus, Stuttgart

Zielinski HR (1976) Euthanasia in the light of events of 1939–45 in Germany. Bayer AG, Leverkusen

Zielinski HR (1981) Hilfe beim Sterben. In: Zielinski HR (Hrsg) Prüfsteine medizinischer Ethik II. Bayer AG, Leverkusen

Zielinski HR (1982) Notwendigkeit und Grenzen des Experimentierens in der Humanmedizin. In: Zielinski HR (Hrsg) Prüfsteine medizinischer Ethik II. Bayer AG, Leverkusen

Zielinski HR (1986) Prüfsteine medizinischer Ethik VIII. Bayer AG, Leverkusen

Grundlagen der Behandlung

I. Bowdler, U. Hankemeier, D. Zech und S. A. Schug

Epidemiologie

Bezüglich der Schmerzprävalenz bei Tumorpatienten finden sich in der Weltliteratur Angaben von 34–87%. Entsprechende Daten aus der Bundesrepublik Deutschland liegen bisher nicht vor. Die große Schwankungsbreite der vorliegenden Angaben muß mit der anzunehmenden Heterogenität der untersuchten Patientenkollektive bezüglich Tumordiagnosen, unterschiedlicher Krankheitsstadien sowie verschiedener Gewichtungen der Schmerzangaben der Patienten erklärt werden.

Die Abhängigkeit der Schmerzprävalenz von der Tumordiagnose läßt sich insofern spezifizieren, daß maligne Systemerkrankungen, wie z. B. Leukämien oder Lymphome, verhältnismäßig selten mit Schmerzen einhergehen, während Organtumoren häufig zu Schmerzen führen. Aber auch bei letzteren ist zu beachten, daß das Vorliegen einer Fernmetastasierung nicht bei jedem Tumor obligatorisch mit einer höheren Schmerzprävalenz einhergehen muß. Während Tumoren, wie beispielsweise das Mammakarzinom, häufig erst durch eine Knochenmetastasierung zu Schmerzen führen, induzieren andere, wie beispielsweise das Zervix- oder Rektumkarzinom, durch ihr regionäres Wachstum Schmerzen, ohne daß es zu einer Fernmetastasierung gekommen wäre. Häufig zu Schmerzen führen v. a. die Tumoren, die in einem hohen Prozentsatz in das Skelettsystem metastasieren.

Eine enge Korrelation zwischen Tumorstadium und Schmerzprävalenz ist in der Literatur mehrfach beschrieben. Bei Berücksichtigung der oben genannten Einschränkungen sind in den frühen Tumorstadien Schmerzen bei deutlich weniger als der Hälfte der Patienten zu erwarten, während dies in den fortgeschrittenen Stadien für mehr als die Hälfte der Patienten, ja in der Terminalphase sogar für 80–90% der Kranken zutrifft.

Behandlungsziele

Das in jedem Falle angestrebte Behandlungsziel einer völligen Schmerzfreiheit läßt sich in der Praxis der Tumorschmerztherapie oft nicht aufrechterhalten. Die Schmerzlinderung auf ein leichtes, für den Patienten subjektiv erträgliches Niveau ist jedoch fast durchweg erreichbar, wobei eine Abwägung von Nutzen, Risiko und Nebenwirkungen der gewählten Therapiemethode(n) erfolgen muß. So kann in schwierigen Fällen, die lediglich einer medikamentösen Behandlung zugänglich sind (z. B. ausbestrahlte multiple Skelettfiliae), häufig nur eine Ruheschmerzfreiheit erzielt werden, da die zur Unterdrückung von Bewegungsschmerzen erforderlichen Analgetikadosen eine zu starke Sedierung des Patienten zur Folge hätten. In solchen Fällen muß eine klare Abwägung getroffen werden zwischen Schmerzfreiheit und anderen Faktoren, die die Lebensqualität betreffen. Die Fähigkeit zur Kommunikation und ein klares Sensorium ist für die meisten Patienten wichtiger als eine komplette Schmerzfreiheit. Grundsätzlich ist die ambulante Versorgung der Patienten anzustreben, da auch das Verbleibenkönnen in der häuslichen Umgebung ein entscheidender Bestandteil der Lebensqualität ist. Aufwendige pflegerische Maßnahmen, eine unbefriedigende familiäre Situation und die Indikationsstellung zu bestimmten schmerztherapeutischen Verfahren können jedoch eine zumindest zeitweilige stationäre Aufnahme erforderlich machen.

Fragebögen und Schmerzanalyse

Es hat sich bewährt, den Patienten vor dem ersten Gespräch einen Fragebogen ausfüllen zu lassen. Einige Kliniken bevorzugen ein Verschicken des Fragebogens nach der Anmeldung. Der Vorteil für den Patienten, die Fragen in Ruhe im häuslichen Bereich beantworten zu können, bedingt jedoch auch den Nachteil, daß evtl. zuviel fremde Hilfe die Aussagefähigkeit der Antworten verfälscht. Auf der anderen Seite fühlen sich einige Tumorpatienten durch die Bitte nach schriftlicher Beantwortung von Fragen während der Wartezeit in den Ambulanzräumen überfordert.

Neben allgemeinen Patientendaten enthalten die üblichen Fragebögen auch einen Fragenkomplex zur sozialen Situation (z. B. „Alleinstehend lebend?"). Die Fragen zu den Schmerzen gliedern sich nach Lokalisation und Ausstrahlung, Intensität und Charakter, nach zeitlichen Gesichtspunkten wie Häufigkeit, Dauer und tageszeitlichen Abhängigkeiten. Zusätzlich werden Auslösemechanismen (z. B. Ärger, körperliche Belastung) und Selbstbehandlungsstrategien erfragt. Einige Fragebögen versuchen auch in einer Art

Screeningverfahren die Wertigkeit psychischer Einflüsse abzuschätzen. Dazu wird z.B. eine Beschwerdeliste (Schwächegefühl, Grübelei, starkes Schwitzen, Schlaflosigkeit etc.) abgefragt, und der Patient hat jeweils zwischen unterschiedlichen Antwortmöglichkeiten zu werten (stark – mäßig – kaum – gar nicht). Die Beschreibung der Schmerzcharakteristik wird z.B. durch eine Adjektivliste vorgegeben, die sich insbesondere in affektiv betonte bzw. real beschreibende Wertungen gliedert (peinigend, ängstigend, bestrafend, quälend, stechend, brennend, stromstoßartig, nadelstichartig etc.). Wiederum wählt der Patient zwischen den Eckwerten „sehr" und „gar nicht". Hinweise für eine mögliche Depression ergibt die Beantwortung von 15 Fragen (z.B. „Kritik verletzt mich stärker als früher", „Morgens fühle ich mich besonders schlecht"), wiederum mit den verschiedenen Beantwortungsmöglichkeiten (trifft ausgesprochen zu – trifft gar nicht zu). Zur Komplettierung enthalten die meisten Fragebögen noch die Möglichkeit, auf vorgezeichneten „Männchen" den Schmerzbereich einzuzeichnen. Des weiteren sollte die Möglichkeit für den Patienten gegeben sein, auf einer freien Seite seine Schmerzen mit eigenen Worten zu beschreiben.

Es hat sich als vorteilhaft erwiesen, zunächst den ausgefüllten Fragebogen zusammen mit den Befunden durchzusehen, um einen Vorabeindruck von dem Patienten zu erhalten. Gemeinsam mit ihm werden offene bzw. zusätzliche Fragen besprochen. Wichtig ist die nochmalige Frage nach der Schmerzintensität. Die Ermittlung der Schmerzintensität stellt ein besonderes Problem dar, weil Schmerz im Gegensatz zu anderen Sinnesqualitäten wegen der komplexen Vorgänge, die mit seinem Erleben verbunden sind, kaum objektivierbar ist. Das Erleben von Schmerz, gerade in der mit der Diagnose Krebs verbundenen belastenden psychischen Situation, ist auch stark von subjektiven und emotionalen Faktoren abhängig. Die im Labor entwickelten und an Probanden getesteten algesimetrischen Verfahren ließen sich bisher nicht bei Patienten mit chronischen Schmerzen in der klinischen Praxis anwenden.

Die in der Vergangenheit meist verwendete Methode ist die Selbsteinschätzung der Schmerzintensität durch den Patienten auf einer Meßskala. Am häufigsten werden sog. deskriptive Skalen („verbal rating scale", VRS) und Analogskalen verwendet (numerische Analogskala, NAS; visuelle Analogskala, VAS). Während die deskriptiven Skalen Worte wie „kein Schmerz, leichter, mäßiger, starker oder stärkster vorstellbarer Schmerz" zur Skalierung verwenden, sind die Analogskalen ein kontinuierliches System, bei dem der Schmerz einer Zahl bzw. einer Strecke zwischen den Endpunkten „kein Schmerz" und „stärkster vorstellbarer Schmerz" zugeordnet wird. Zusätzliche Beurteilungsmöglichkeiten ergeben sich aus der Beobachtung des Verhaltens der schmerzkranken Person, insbesondere der Mimik, der Aktivität und des Nachtschlafes.

Diagnose und Indikationsstellung

Den „Krebsschmerz" im eigentlichen Sinne gibt es nicht. Es handelt sich vielmehr um eine Vielfalt von akuten und chronischen Schmerzsyndromen bei einer Patientengruppe, die sich in bezug auf die Art ihrer Grunderkrankung gleichen und deshalb von anderen chronischen Schmerzpatienten zu unterscheiden sind. Die Auswahl der Therapieverfahren hat dieser Situation Rechnung zu tragen, jedoch ist besonders zu beachten, daß Prognose, Allgemeinzustand, Erwartungen an den Therapieeffekt und die verbleibende Lebensqualität innerhalb dieser Gruppe ganz verschieden sein können. Voraussetzung zur Auswahl einer effektiven Therapie ist die gründliche Analyse von Schmerzart und Schmerzursache. Sie ist das Ergebnis einer sorgfältigen Anamneseerhebung und körperlichen Untersuchung. Die Anamnese muß dabei neben der Erfassung der allgemeinen Daten besonders die Tumorerkrankung (Diagnose, Histologie, neueste Befunde zum Tumorstadium, Prognose, bisherige Therapie) sowie den psychosozialen Status des Patienten (psychische Verfassung und Stabilität, Lebensverhältnisse, Versorgungsmöglichkeiten) registrieren. Die gründliche körperliche Untersuchung sollte unter besonderer Beachtung der vorliegenden Tumorerkrankung, des neurologischen Status (Sensibilitätsstörungen, Paresen, vegetative Störungen) und von Triggerpunkten erfolgen. Vor allem zur Planung lokaler Therapieverfahren sind u. U. zusätzliche Untersuchungen (Röntgennativdiagnostik, Szintigraphie, Computer- oder Kernspintomographie) erforderlich. Das Ausmaß dieser Diagnostik orientiert sich jedoch an Krankheitsstadium und Allgemeinzustand des Patienten. Dementsprechend ist ein derartiges Vorgehen in der Finalphase kaum indiziert.

Nach Wertung und Berücksichtigung aller oben genannten Faktoren werden nun eine oder häufiger mehrere Schmerzdiagnosen gestellt und ein Behandlungsplan entworfen. Die Auswahl der bei einem Patienten einzusetzenden Behandlungsmethoden darf sich dabei nicht nur auf die Art der gestellten Schmerzdiagnose stützen, sondern muß auch den psychosozialen Bereich entsprechend berücksichtigen. Das Therapiekonzept beinhaltet oft die Kombination mehrerer Verfahren (z. B. Radiotherapie und Pharmakotherapie). Mit dem Fortschreiten der Erkrankung kommt es häufig infolge des Befalls verschiedenster Strukturen zu neuen Schmerzlokalisationen bzw. zu einer Intensivierung der vorbestehenden Schmerzsymptomatik, die eine Änderung des Therapiekonzepts erforderlich machen. So kann im Verlauf der Behandlung der Einsatz verschiedenster Verfahren indiziert sein. Immer zu berücksichtigen sind bei der Therapiewahl das Krankheitsstadium und die Prognose.

Eine grobe Unterteilung der verfügbaren Verfahren soll im folgenden versucht werden. Der Angriff am pathologischen Prozeß ist durch Operation,

Chemo- und Hormontherapie sowie Strahlentherapie möglich, wobei letzterer in der schmerzreduzierenden Wirkung sicher die größte Bedeutung zukommt. Die systemische Pharmakotherapie mittels oraler, rektaler, sublingualer oder auch parenteraler Applikation ist von einer lokalen Pharmakotherapie über epidurale, intrathekale und intraventrikuläre Katheter zu trennen.

Eine passagere oder permanente Ausschaltung schmerzleitender Strukturen ist mittels Nervenblockade, chemischer Neurolyse und Kryoanalgesie möglich. Diese lokalen Verfahren können am peripheren und zentralen Nervensystem sowie am Sympathikus (bzw. den viszeralen Afferenzen) durchgeführt werden. Zusätzlich können dekomprimierende und destruierende Eingriffe, die Hinterstrangstimulation („dorsal column stimulation", DCS) und die tiefe Hirnstimulation („deep brain stimulation", DBS) von der Neurochirurgie angeboten werden. Auch die oben erwähnte intraventrikuläre Opiatanalgesie gehört in ihren Aufgabenbereich. Ein einfaches Verfahren ist die transkutane Nervenstimulation (TNS).

Physikalische Therapieverfahren, Akupunktur und bestimmte psychologische Verfahren (z. B. autogenes Training) können in der Schmerzbehandlung der Karzinompatienten ebenfalls hilfreich sein, stellen jedoch in der Terminalphase oftmals eher eine Belastung dar. Akupunktur und physikalische Therapie haben eine Indikation in der Behandlung tumorassoziierter – z. B. myofaszialer – Schmerzen oder bestimmter tumorabhängiger Schmerzsyndrome.

Bewertung des Therapieeffekts

Der Erfolg der gewählten Therapiemethode wird an der Reduktion des Zielsymptoms Schmerz bewertet. Mit Hilfe der Analogskala kann zu jedem Zeitpunkt die jeweilige Schmerzsituation abgefragt werden. Gibt man dem Patienten eine Skala in die Hand, kann er selbst ein tageszeitliches Schmerzprofil erstellen. Dadurch ist eine sehr gezielte Schmerztherapie möglich (z. B. Analgetikagabe *vor* postprandialem Schmerz). Durch diese Mitarbeit der Patienten wird die Compliance nicht unerheblich erhöht. – Andererseits sind Patienten dadurch aber auch oft überfordert. Nicht selten reicht dann auch die Frage nach dem „Restschmerz im Vergleich zu vorher" (Antwort z. B. „ein Viertel von vorher, das ist gut aushaltbar"). Eine zusätzliche Beurteilung durch den Arzt und insbesondere durch das Pflegepersonal hat sich bewährt.

Begleitung und Symptomkontrolle

Die Beachtung psychosozialer Fakoren, die das stark subjektive Schmerzerleben in kaum zu überschätzender Weise beeinflussen, ist Voraussetzung für die erfolgreiche Durchführung jeder Behandlung. Faktoren wie Sorgen, Angst, Traurigkeit, Introversion, Depression, soziale Abhängigkeit und Isolation, aber auch Schlaflosigkeit und belastende Begleitsymptome der Erkrankung, senken die Schmerzschwelle. Daraus ergibt sich, daß das Ziel der Schmerzbehandlung des Tumorpatienten neben der medizinischen Therapie im engeren Sinne auch die Beeinflussung dieser Faktoren sein muß. Die Begleitung von Patient und Angehörigen, die Ausschaltung oder Linderung belastender Begleitsymptome der Erkrankung, die Sorge für eine ausreichende Nachtruhe sind dabei von eminenter Bedeutung. Anxiolytika, Antidepressiva und Neuroleptika können hierbei gelegentlich als Ergänzung indiziert sein.

Aus den bisherigen Ausführungen wird verständlich, daß die Behandlung tumorkranker Schmerzpatienten einen hohen Zeitaufwand erfordert. Nur intensive Zuwendung und einfühlsames Eingehen auf die Probleme des Patienten, meist mit einem für den Therapeuten nicht unbelastenden emotionalen Engagement verbunden, können die Basis zu einer derartigen Behandlung sein. Ein vertrauensvolles Verhältnis zwischen Arzt und Patient, welches für eine Kooperation bei den geplanten, gelegentlich komplexen und in das Leben des Patienten eingreifenden Therapiemaßnahmen unbedingt erforderlich ist, kann sich dabei, von seltenen Ausnahmen abgesehen, nur auf der Grundlage einer umfassenden Aufklärung über Art, Umfang und Prognose der malignen Erkrankung entwickeln. Eine – häufig mit dem Motiv der Barmherzigkeit begründete – absichtliche Verschleierung der Situation gegenüber dem Patienten erspart zwar dem Therapeuten ein oft schwieriges und belastendes Gespräch, bewirkt aber in der Folge häufig mangelhafte Compliance, Ablehnung invasiver Methoden und Unverständnis für symptomatische Therapiemaßnahmen.

Gebräuchliche Nomenklatur

Die subjektive Empfindung eines Schmerzes, aber auch das Empfinden gegenüber einer nicht schmerzhaften Reizung ist hinsichtlich der Qualität und Intensität sehr vielseitig. Somit sind eine Reihe von Beschreibungen entwickelt worden. Nur durch die Anwendung einer allgemein bekannten und standardisierten Nomenklatur lassen sich sprachlich bedingte Mißverständnisse vermeiden. Folgende Definitionen beruhen auf den Vorschlägen der International Association for the Study of Pain (Lindblom et al. 1986).

Begriffe, die mit „-ästhesie" enden, beziehen sich auf Empfindungen, die entweder spontan oder durch eine Reizung, die normalerweise nicht schmerzhaft ist (beispielsweise Berührung der Haut), ausgelöst werden. Begriffe, die mit „-algesie" enden, beziehen sich auf Empfindungen gegenüber einem schmerzhaften Reiz.

Allodynie: Schmerzen bei einer Reizart und Intensität, die bei einem normalen Gesunden nicht als schmerzhaft empfunden werden und die über die Reizdauer hinaus anhalten (vgl. Analgesie).

Analgesie: fehlende Schmerzempfindung gegenüber einer Reizart und/oder Intensität, die bei einem Gesunden als schmerzhaft empfunden wird.

Dysästhesie: eine spontan auftretende oder durch eine Reizung ausgelöste unangenehme, abnorme Empfindung.

Hypästhesie: herabgesetzte Empfindlichkeit auf eine Reizung.

Hypoalgesie: herabgesetzte Schmerzempfindlichkeit gegenüber einem schmerzhaften Reiz.

Hyperästhesie: erhöhte Empfindlichkeit auf eine Stimulation.

Hyperalgesie: erhöhte Schmerzempfindung gegenüber einem schmerzhaften Reiz.

Hyperpathie: erhöhte Schmerzempfindung besonderer Art; verzögerter Schmerzbeginn, verlängertes Anhalten der Schmerzen bei schlechter Lokalisierbarkeit des Reizes (s. Kausalgie).

Parästhesie: eine spontan auftretende, oder durch eine Reizung ausgelöste abnormale Empfindung, die aber im Gegensatz zu einer Dysästhesie weder unangenehm noch schmerzhaft ist.

Häufig vorkommende Schmerzsyndrome

Anaesthesia dolorosa: meist konstant vorhandene, teils brennende, teils stechende Schmerzen in einem hyp- bis anästhetischen Bezirk, dessen Nervenversorgung unterbrochen worden ist. Die Ursache dieser Unterbrechung kann Folge einer Erkrankung, Verletzung oder Behandlung sein. *Beispiele:* Komplikationen nach neurolytischer Blockade somatischer Nerven, Anaesthesia dolorosa im Bereich des N. trigeminus nach Durchtrennung von Nervenästen im Rahmen der Trigeminusneuralgiebehandlung; manche Formen der postherpetischen Neuralgie.

Deafferentierungsschmerzen: Schmerzqualität und -lokalisation wie bei der Anästhesia dolorosa. Diese Schmerzart ist den zentralen Schmerzen zuzuordnen mit Schmerzentstehung durch Unterbrechung der Aktivität des peripheren Neurons. Eine spontane Übererregbarkeit der deafferentierten Rückenmarksneuronen wird als Ursache der Beschwerden angenommen. Schmerzen infolge der Reizung eines peripheren Nervenstumpfs, wie z. B. Neuromschmerzen, gehören nicht zu diesem Syndrom.
Beispiel: Phantomschmerzen.

Kausalgie: konstant vorhandene, brennende Schmerzen im Innervationsbereich eines verletzten peripheren Nervs, die oft mit einer Allodynie oder gar Hyperpathie vergesellschaftet sind. Diese Beschwerden sind oft von Funktionsstörungen des vegetativen Nervensystems mit Änderungen der Vaso- und Sudomotorik begleitet.
Beispiel: Tumorinfiltration des Plexus brachialis.

Neuralgie: im angloamerikanischen Sprachraum bezieht sich dieser Begriff auf Schmerzen im Innervationsbereich eines Nervs unabhängig von dessen Qualität. Im deutschsprachigen Raum wird die Qualität des Schmerzes als paroxysmal und schneidend in die Definition einbezogen.
Beispiel: segmental ausstrahlende Schmerzen infolge tumoröser Nervenwurzelbeteiligung.

Nozizeptorschmerzen: Schmerzen, die durch direkte Irritation von Schmerzrezeptoren entstehen, wobei ein lokaler und ein übertragener Schmerz unterschieden werden können. Lokale Schmerzen werden eher scharf begrenzt am Schädigungsort verspürt, der allerdings sowohl an der Körperoberfläche als auch in der Tiefe des Körpers (z. B. Knochen- oder Organkapselschmerzen) liegen kann (sog. *Dolor localisatus*). Übertragene Schmerzen werden nicht am Entstehungsort, sondern in dem betroffenen Dermatom (Head-Zone) oder in dem entsprechenden Myotom meist als unscharf begrenzte, dumpfe, drückende Beschwerden empfunden (sog. *Dolor translatus;* z. B. Schmerz infolge Tumorinfiltration von Bindegewebe oder Darmschleimhäuten).

Projizierter Schmerz: Schmerzen im Innervationsgebiet eines verletzten Nervs oder Nervengeflechtes. Diese Bezeichnung beinhaltet sowohl die Kausalgien als auch die Neuralgien und den Radikulärschmerz.
Beispiele: diese Beschwerden sind im Zusammenhang mit Tumorerkrankungen häufig kompressionsbedingt (lokales Tumorwachstum, Metastasen, Lymphknotenschwellung).

Pseudoradikuläre Schmerzen: nach peripher ausstrahlende, meist diffuse, dumpfe, ziehende Schmerzen, die keine neurogenen sondern einen muskuloskeletalen Ursprung haben. Radikuläre Schmerzen werden manchmal vorgetäuscht, jedoch liegt bei pseudoradikulären Beschwerden keine segmentale Ausbreitung vor, ferner keine Hypästhesie bis Anästhesie sondern vorwiegend eine Dysästhesie und Muskeltonusänderungen ohne Funktionsausfall. *Beispiel:* Hüftkopfnekrose mit pseudoradikulärer Schmerzausstrahlung bis zum Knie.

Radikuläre Schmerzen: diese Form von projizierten Schmerzen beruht auf der Schädigung einer Nervenwurzel und ist von einer Hyp- bis Anästhesie im entsprechenden Dermatom sowie von Paresen oder gar Plegien der innervierten Muskulatur begleitet. Husten, Pressen und Niesen führen typischerweise zu einer Schmerzexazerbation.

Beispiele: sowohl Wirbelkörperosteolysen und -kollaps als auch durch eines der Foramina intervertebralia wachsende Tumoren können dieses Symptom auslösen.

Sympathische Reflexdystrophie (auch Algodystrophie genannt): sowohl geringgradige Weichteilverletzungen als auch schwerwiegende Nervenverletzungen können eine Funktionsstörung des sympathischen Nervensystems zur Folge haben. Allein diese Funktionsstörung kann zu brennenden, reißenden Schmerzen führen, die mit Änderungen der Vaso- und Sudomotorik vergesellschaftet sind. Die auslösende Ursache dieses Krankheitsbildes ist derzeit nicht gesichert, diskutiert werden Mikrozirkulationsstörungen, eine Übererregbarkeit der peripheren Nozizeptoren, pathologische Erregungsübertragungen zwischen Fasern des peripheren und des sympathischen Nervensystems, aber auch die Hyperaktivität bestimmter Neuronenpopulationen des Rückenmarks („wide dynamic range neurons").

Der schmerzhafte Bereich gliedert sich nicht selten der arteriellen Versorgung an, er ist allerdings unscharf begrenzt und kann sich sogar über einen ganzen Körperquadranten ausdehnen als sogenanntes *Quadrantensyndrom.*

Beispiel: Sowohl infolge des Tumorwachstums als auch dessen gezielter Behandlung, beispielsweise durch Operation, kann sich eine sympathische Reflexdystrophie ausbilden. In der Frühphase dieser Erkrankung bilden sich Ödeme und eine Hyperämie an der betroffenen Extremität aus, die an eine Verlegung der Lymph- und Blutstrombahnen denken läßt. Das Vorliegen von Brennschmerzen, insbesondere aber eine Allodynie, eine Dysästhesie und Hyperpathie, weisen auf das Vorliegen dieser vegetativen Fehlsteuerung hin, die sich in dieser frühen Krankheitsphase durch Sympathikusblockaden günstig beeinflussen läßt.

Zentrale Schmerzen: Schmerzen infolge einer Läsion des Zentralnervensystems (einschließlich des Rückenmarks). Lokalisation und Qualität der Beschwerden sind abhängig vom Projektionsgebiet des betroffenen ZNS-Anteils.

Beispiel: stechende, blitzartige, gut lokalisierte Schmerzen durch Hinterstrangkompressionen nach Wirbelkörperzerfall oder Epiduralmetastasierung. Zerebrale Tumoren, Metastasen und Durchblutungsstörungen können konstant vorhandene Schmerzen einer Körperhälfte von brennender, einschnürender Qualität mit distaler Betonung der Extremitäten verursachen.

Klassifikation der auslösenden Mechanismen von Tumorschmerzen

In Anlehnung an die Vorschläge von Foley (1979) und Twycross u. Lack (1984) sollte der erste Schritt in der Behandlung von Schmerzen die Identifikation des schmerzauslösenden Mechanismus sein. Da die Behandlung sich danach richtet, ist stets zu überprüfen, ob die Beschwerden Folge des Tumors (s. unten), der Tumorbehandlung (s. S. 23), tumorassoziiert (z. B. Obstipation, Herpes zoster, Dekubitus) oder Folge einer tumorunabhängigen Zweiterkrankung sind.

Die Beschwerden eines Tumorpatienten können sich besonders bei schneller Wachstumszunahme von Tag zu Tag ändern. Hier muß stets überprüft werden, ob sich ein neuer schmerzauslösender Mechanismus entwickelt hat, der sich gezielt behandeln läßt. Folgendes Fallbeispiel stellt die Vielschichtigkeit der Schmerzproblematik und der entsprechenden Therapie dar.

Fallbeispiel: ein 50jähriger Mann mit großzelligem Bronchialkarzinom klagt über Kopfschmerzen, die seit einigen Tagen vorhanden sind.

Potentiell vorhandene Ursache

Tumorbedingt: 1) Osteolyse der Kalotte, Schädelbasis oder oberen Halswirbelsäule;
2) intrakranielle Druckerhöhung durch zerebrale Metastasierung;
3) beginnende obere Einflußstauung.

Behandlungsbedingt: Irritation der Okzipitalnerven nach operativer Ausräumung einer Metastase und Stabilisierung der oberen Halswirbelsäule.

Tumorassoziiert: 1) Frühphase eines Herpes zoster V_1, C_2 oder C_3;
2) myofasziale Schmerzen bei Fehlhaltung infolge Bettlägerigkeit.

Tumorunabhängig: 1) Sinusitis frontalis;
                      2) Spannungskopfschmerzen.

Fazit: Auch bei einem Tumorpatient bei zunehmenden Schmerzen keinesfalls nur die Dosis der Analgetika erhöhen, ohne den schmerzauslösenden Mechanismus zu überprüfen!

Da die Behandlung tumorbedingter Schmerzen sich weniger nach der Tumorart als nach dem schmerzauslösenden Mechanismus richtet, hat sich folgende an der Praxis orientierte Klassifikation bewährt. Nach unseren Erfahrungen haben Patienten häufig mehr als einen Schmerzmechanismus (wie z. B. Knochenschmerzen und eine Nervenbeteiligung mit einer Neuralgie).

Knochen- und Periostschmerzen

Schmerzart: Dumpfe, bohrende, tiefliegende Schmerzen. Bei Mitbeteiligung des Periosts meist gut lokalisierbar. Anfänglich nur bei körperlicher Belastung oder bei gezielten Bewegungen auftretend, im späteren Verlauf auch bei Ruhe und nachts vorhanden.

Allgemeine Hinweise: Schmerzen können sehr wohl das erste Zeichen einer Knochenmetastase sein, radiologische Veränderungen treten erst nach 40- bis 60%iger Minderung oder Zunahme der Knochendichte auf. Mamma-, Prostata-, Lungen- und Nierenkarzinome führen häufig zu Knochenmetastasen.

- Plötzliche Schmerzzunahme kann durch eine pathologische Fraktur entstehen!
- Stets eine Hyperkalzämie als Ursache einer diffusen Schmerzzunahme bei bekannter Knochenmetastasierung ausschließen.

Therapie: Bei dieser Schmerzart handelt es sich um einen Nozizeptorschmerz, wobei durch lokalen Druck oder durch die von dem Tumorwachstum hervorgerufene Freisetzung von Schmerzmediatoren, wie z. B. Bradykinin und Prostaglandine, periphere Schmerzrezeptoren gereizt werden. Aus dieser theoretischen Überlegung kam die Empfehlung zur Gabe von prostaglandinhemmenden Substanzen, die sich in der Praxis bei dieser Art von Tumorschmerzen bewährt hat. Die Möglichkeit einer palliativen Schmerzbestrahlung sollte stets in Erwägung gezogen, bei Solitärmetastasen oder der Gefahr einer pathologischen Fraktur die Indikation zur chirurgischen Ausräumung und Stabilisierung überprüft werden.

Weichteilinfiltration

Schmerzart: Die Infiltration der Skelettmuskulatur und der Bindegewebe ruft meist dumpfe, bohrende, konstant vorhandene Schmerzen hervor, die bewegungsunabhängig und von diffuser Lokalisation sind.

Therapie: Auf pathophysiologischer Basis liegt hier der gleiche schmerzauslösende Mechanismus wie bei der Infiltration von Knochen und Periost vor. Dementsprechend sollten zunächst prostaglandinhemmende Antiphlogistika eingesetzt werden, bevor mit einer Opiatbehandlung begonnen wird (Näheres s. S. 27).

Vorsicht: Stets überprüfen, ob eine zusätzliche sekundäre Muskelverspannung vorliegt, die physikalische Maßnahmen (Wärmeapplikation, Massage, Gegenirritationsverfahren, Infiltrationen) zugänglich ist.

Neurogene Schmerzen

Schmerzart: Eine Infiltration oder Kompression des peripheren Nervensystems ruft Schmerzen hervor, die oft mit Reiz- oder Ausfallerscheinungen des entsprechenden Innervationsgebietes verbunden sind, aber auch ohne objektivierbare Befunde auftreten können. Bei direkter oder indirekter Beteiligung des vegetativen Nervensystems kann sich zusätzlich eine sympathische Reflexdystrophie einer der Extremitäten oder gar eines der Körperquadranten ausbilden.

Hauptsächlich bestimmen 2 verschiedene Schmerzarten, deren jeweilige Ausprägung von Fall zu Fall verschieden ist, das Beschwerdebild. Einerseits liegen neuralgiforme Schmerzen einschießender, schneidender, stechender Art vor, die attackenweise auftreten, andererseits meist konstant vorhandene brennende, bohrende, kausalgiforme Schmerzen, die mit Hyper- oder Dysästhesien verbunden sind. Sind motorische Nerven betroffen, liegen auch Reflexausfälle oder gar Paresen vor.

Therapie: Im Gegensatz zu Schmerzen infolge Knochen-, Periost- und Weichteilinfiltration lassen sich neurogene Schmerzen meist nicht zufriedenstellend durch die Einnahme peripher wirkender Analgetika lindern. Auch die regelmäßige Einnahme eines Opiats kann diese Schmerzart nicht immer suffizient lindern. Beim Vorliegen neuralgiformer Schmerzattacken sollte die Gabe eines Antiepileptikums in Erwägung gezogen werden (s. S. 39). Kausalgieforme Schmerzen können unter der Einnahme eines Neuroleptikums und/oder eines der methylierten Trizyklika reduziert werden, neurogene Schmerzen starker Ausprägung lassen sich oft erst durch operative Beseitigung der Kompression oder nervenblockierende Maßnahmen beherrschen.

Selbst die rückenmarknahe Opiatapplikation bringt bei dieser Schmerzart nicht immer den erwünschten Erfolg. Neben der periduralen Gabe eines Lokalanästhetikums müssen neurolytische Verfahren und neurochirurgische Maßnahmen in Erwägung gezogen werden (Näheres s. S.62, 93).

Schmerzen viszeralen Ursprungs

Schmerzart: Kompression, Entzündung, Kapseldehnung und Schleimhautulzerationen der Hohl- und soliden Bauchorgane führen zu tiefliegenden, diffus lokalisierten dumpfen Schmerzen. Bei Verlegung von Hohlorganen bilden sich Koliken aus. Gelegentlich liegen lediglich übertragene Schmerzen mit Muskelverspannungen vor, die das Vorliegen eines myofaszialen Syndroms vortäuschen können. Hyper- oder Dysästhesien im entsprechenden Dermatom geben Hinweise auf das Vorliegen einer solchen Übertragung.

Therapie: Neben der gezielten Behandlung von Koliken mit Spasmolytika (s. S.38) können viszerale Schmerzen, wobei es sich insbesondere bei nekrotischen und autolytischen Prozessen um einen Nozizeptorschmerz handelt, mit peripher wirkenden Analgetika behandelt werden. Sofern der parietale Innervationsbereich vom Tumorwachstum nicht betroffen ist, sollte bei Befall der Oberbauchorgane bis hin zum Querkolon die Durchführung einer gezielten neurolytischen Ausschaltung des Plexus coeliacus (s. S.68) in Erwägung gezogen werden. Bei diesem Patientengut muß bei der Gabe von Opiaten die potentielle Wirkung einer Stuhleindickung und der damit einhergehenden Obstipation beachtet werden. Trotz adäquater Schmerzkontrolle ist es deswegen in manchen Fällen ratsamer, von der enteralen auf die rückenmarknahe Opiatapplikation auszuweichen.

Verlegung von Blut- oder Lymphgefäßen

Schmerzart: Bei der Verlegung von arteriellen Gefäßen treten typische belastungsabhängige Klaudikatioschmerzen, im weiteren Verlauf auch Ruheschmerzen auf.

Therapie: Durch den Sauerstoffmangel und die Freisetzung von algetischen Substanzen ruft die Ischämie einen Nozizeptorschmerz hervor, der durch die Einnahme von prostaglandinhemmenden Antiphlogistika gelindert werden kann. Ist eine chirurgische Dekompression oder Umgehung nicht möglich, so kann die Durchführung von Sympathikusblockaden zur Förderung des Kollateralkreislaufs in Erwägung gezogen werden.

Schmerzart: Venöse und lymphatische Stauung lösen ein schmerzhaftes Spannungsgefühl aus.

Therapie: Neben der Gabe von peripher wirksamen Analgetika sollten in solchen Fällen physikalische Maßnahmen (Hochlagerung bei Ruhestellung, Kompressionsstrümpfe oder elastische Verbände nach Lymphdrainage bzw. Auswickeln) durchgeführt werden. Bei fehlender Besserung unter diesen Maßnahmen: Gabe von Dexamethason (2mal 4 mg) (Näheres s. S.37).

Behandlungsbedingte Schmerzen

Diese Schmerzen können sehr verschiedene Ursachen haben, beispielsweise:

1) Postthorakotomieschmerzen, die mit neuralgieformen Schmerzattacken und brennenden Dysästhesien im Bereich der Narbe, aber auch Muskelverspannungen oder gar einer Periarthritis humeroscapularis einhergehen können.
2) Stumpf- und/oder Phantomschmerzen, die besonders dann nach Amputationen auftreten, wenn der Patient bereits vor dem Eingriff Schmerzen in der tumorbefallenen Extremität hatte.
3) Schmerzen im Bereich des Femur-, aber auch des Humeruskopfes können im Rahmen einer aseptischen Knochennekrose nach Langzeitkortisontherapie auftreten wie auch nach einer Bestrahlung eine Nervenirritation infolge fibrotischer Veränderungen des Perineuralgewebes.

Nimmt der Patient im Rahmen von tumorbedingten Schmerzen peripher und zentral wirkende Analgetika bereits ein, so sind die behandlungsbedingten Schmerzen dadurch meist auch kupiert. Ist andererseits die Lebenserwartung nach kurativer Behandlung voraussichtlich gut, so sollten die Behandlungsprinzipien chronischer Schmerzen benigner Ursache, wobei die nicht medikamentösen Behandlungsarten zunächst im Vordergrund stehen, Beachtung finden.

Faktoren, die das Schmerzausmaß beeinflussen

In der Beurteilung jeglicher Schmerzart muß die Rolle von psychosozialen Faktoren, die das Schmerzausmaß prägen und die Äußerungen über die Schmerzen beeinflussen, mitberücksichtigt werden. Neben einer reaktiven

Depression, die allein durch das ständige Vorhandensein von Schmerzen hervorgerufen werden kann, können Konflikte innerhalb der Familie, der veränderte Status und finanzielle Verluste im Arbeitsmilieu sowie eine Unzufriedenheit in der Betrachtung des bisherigen Lebenslaufes das Schmerzausmaß erheblich intensivieren. Auch Angst, Schlafstörungen und das allgemeine Alleingelassensein von Familie und Freunden führen zu einer erhöhten Schmerzempfindlichkeit, der man mit der zusätzlichen Gabe eines Anxiolytikums bzw. eines Schlafmittels und ablenkender Beschäftigung tagsüber entgegenwirken soll (Twycross, Lack 1984).

Abhängig von der Persönlichkeit und der kulturellen Abstammung des Betroffenen werden nicht nur Schmerzen im engeren, somatischen Sinn, sondern auch das psychische Unwohlsein als körperliche Schmerzen geäußert. Auch hier muß vor einer alleinigen Erhöhung der Analgetikaeinnahme gewarnt werden.

Literatur

Baines M, Kirkham SR (1984) Carcinoma involving bone and soft tissue. In: Wall PD, Melzack R (eds) Textbook of pain. Livingstone, Edinburgh, p 453

Daut RL, Cleeland CS (1982) The prevalence and severity of pain in cancer. Cancer 50: 1913–1918

Foley KM (1979) Pain syndromes in patients with cancer. In: Bonica JJ, Ventafridda V (eds) Advances in pain research and therapy. Raven, New York, p 2: 59

Foley KM (1982) Clinical assessment of cancer pain. Acta Anaesthesiol Scand [Suppl] 74: 91

Foley KM (1985) The treatment of cancer pain. N Engl J Med 313: 84–93

Front D, Schneck SO, Frankel SO, Robinson E (1979) Bone metastases and bone pain in breast cancer. JAMA 242: 1747–1748

Gerbershagen HU (1985) Den chronischen Schmerz strategisch einkreisen. Diagn Intensivmed 18: 8–13

Jensen MP et al (1986) Skalen zur subjektiven Einschätzung der Schmerzintensität – 6 Methoden im Vergleich. Pain 27: 117–126

Lindblom U, Merskey H, Mumford JM, Nathan PW, Noordenbos W, Sunderland S (1986) Pain terms. A current list with definitions and notes on usage. Pain [Suppl] 3: 215

Portenoy RK, Lipton RB, Foley KM (1987) Back pain in the cancer patient: An algorithm for evaluation and management. Neurology 37: 134–138

Tempest SM (1982) Pain control in terminal illness. Pharm J 229: 555–560

Twycross RG, Lack SA (1984a) Therapeutics in terminal cancer. Pitman, London

Twycross RG, Lack SA (1984b) Symptom control in far advanced cancer: Pain relief. Pitman, London, p 18

Wilder-Smith CH, Senn HJ (1987) Schmerzen bei Tumorpatienten. Arzneimitteltherapie 5: 139–151

Zimmermann M (1982) Schmerz bei Tumorpatienten – auslösende Mechanismen, Diagnose, Therapie. Anaesthesist 31: 599

Medikamentöse Therapie

D. Zech und S. A. Schug

Prinzipien

Bei der Pharmakotherapie chronischer Karzinomschmerzen ergeben sich einige prinzipielle Unterschiede zur Behandlung akuter Schmerzen. Bei gleichem Therapieziel sind die Erfordernisse hinsichtlich gewünschter Nebeneffekte, des Wirkungszeitraums, der Dosierung, des Applikationswegs und -zeitpunkts, der ambulanten Durchführbarkeit und der Kombination mit anderen Medikamenten grundsätzlich verschieden.

Wie bei jeder medikamentösen Behandlung sollte sich der Therapeut auf die Verwendung weniger, geeigneter Pharmaka beschränken.

Zusammenfassend ergeben sich folgende Grundregeln für die medikamentöse Turmorschmerztherapie:

- möglichst orale Therapieform,
- individuelle Dosierung,
- Einhaltung eines Zeitschemas,
- exakte Einnahmeanleitung,
- Begleitmedikation (Laxans, Antiemetikum),
- Koanalgetika,
- Zusatzmedikation für den Bedarfsfall,
- regelmäßige Kontrolle von Wirkung und Nebenwirkungen.

Dauerschmerz erfordert eine Dauermedikation!

Zur Vermeidung von Schwierigkeiten bei der Behandlung und zur Erzielung einer ausreichenden Compliance müssen Therapieziel und etwaige Nebenwirkungen der Medikamente mit Patient und Angehörigen besprochen werden.

Orale Schmerztherapie

Die bei der Pharmakotherapie von Tumorschmerzen so wichtige Anpassung an die jweilige Schmerzsituation geschieht am besten durch die Einhaltung eines Stufenplanes. Dabei hat sich das WHO-Stufenschema bewährt.

1. Stufe: „peripher wirkende" Analgetika (+ Koanalgetika);
2. Stufe: „peripher wirkende" Analgetika + niederpotente Opioide
    (+ Koanalgetika);
3. Stufe: „peripher wirkende" Analgetika + hochpotente Opioide
    (+ Koanalgetika).

Indikationen zum Einsatz von Koanalgetika können in jeder Therapiestufe gegeben sein.

Bei starken Schmerzen und entsprechender Vormedikation kann auch sofort ein Einstieg in eine höhere Therapiestufe notwendig sein. Ist dies nicht der Fall, ist ein stufenweises Emporsteigen anzustreben.

Bei der Ausarbeitung eines Therapieplans gelten folgende Prinzipien:

– Beachte Art und Effekt der Vormedikation.
– Wähle die geeignete Applikationsart.
– Beginne mit Analgetika.
– Benutze Medikamentenkombinationen
    – zur Verbesserung der Analgesie,
    – zur Reduzierung der Nebenwirkungen.
– Beachte die äquianalgetischen Dosen der Opioide.
– Füge Koanalgetika nach Schmerzart hinzu.
– Vermeide Medikamentenkombinationen, die sedieren, ohne die Analgesie zu verbessern.
– Behandle Begleitsymptome und Nebenwirkungen.
– Beachte Wechselwirkungen der Medikamente.
– Vermeide plötzliches Absetzen.

Im folgenden werden einige Medikamente jeder Gruppe kurz charakterisiert und ihre Einsatzmöglichkeiten im Rahmen des Stufenplanes dargestellt. Die Auswahl der Medikamente entspricht dabei den Präferenzen der Autoren.

Peripher wirkende Analgetika

Der Ausdruck „peripher wirkende" Analgetika ist umstritten, da neben den bekannten peripheren Angriffspunkten, u. a. der Hemmung der Prostaglandinsynthese, für einige Substanzen auch zentrale Wirkungen nachgewiesen oder vermutet werden. „Peripher wirkende" Analgetika bilden die Grundlage nahezu jeden Therapieplans, nur in Ausnahmefällen kann auf sie verzichtet werden.

Trotz der seltenen bekannten Nebenwirkungen ist Metamizol das wichtigste Medikament aus dieser Gruppe, da es viele Vorteile bietet:

– sehr gute analgetische Wirkung bei niedriger Nebenwirkungsrate,
– verschiedenste Darreichungsformen,
– als Tropfenlösung auch bei Patienten mit Dysphagie einsetzbar,
– spasmolytische Wirkungskomponente.

Ein Ausweichmedikament ist das gut verträgliche Paracetamol, das keine antiphlogistische Wirkungskomponente besitzt. Auf den Einsatz von Acetylsalicylsäure verzichten die Autoren wegen der hohen Nebenwirkungsrate am Gastrointestinaltrakt.

Insbesondere in der Behandlung von Knochen- und Weichteilschmerzen haben sich nichtsteroidale Antiphlogistika (NSA) bewährt. Von den Autoren bevorzugte Präparate sind Flurbiprofen und Diclofenac sowie das langwirkende Piroxicam; bei Einsatz dieser Substanzen ist oft eine Ulkusprophylaxe erforderlich. Um möglichst schnell in einen optimalen Wirkungsbereich zu gelangen, empfiehlt sich in der Regel die Gabe einer „loading dose" am Therapiebeginn (z. B. Flurbiprofen 100 mg).

Kombinationspräparate bieten aus pharmakokinetischer Sicht eher Nachteile als Vorteile und sind deshalb nur in Ausnahmefällen sinnvoll (so z. B. Paracetamol mit Codein in Talvosilen).

Medikamentenübersicht

Diclofenac (Voltaren)

Darreichungsformen: 1 Tbl. = 25/50 mg
1 Retard-Tbl. = 100 mg
1 Supp. = 50/100 mg
1 Amp. = 3 ml = 75 mg

Dosierung: 50(-100) mg 4(-8)stündlich

Maximaldosis: 300 mg/Tag

Wichtigste Nebenwirkungen: gastrointestinale Störungen, okkulte gastrointestinale Blutungen, Überempfindlichkeitsreaktionen, Störungen der Hämatopoese, Kopfschmerzen, Natrium- und Wasserretention

Wichtigste Kontraindikationen: Magen-Darm-Ulzera, bei Überempfindlichkeit mögliche Kreuzreaktionen mit anderen NSA beachten

Flurbiprofen (Froben)

Darreichungsformen: 1 Drg. = 50/100 mg
1 Supp. = 100 mg

Dosierung: 50(–100) mg 4(-8)stündlich

Maximaldosis: 300 mg/Tag

Wichtigste Nebenwirkungen: Kopfschmerzen, Schwindel, Somnolenz, Störungen der Hämatopoese, Überempfindlichkeitsreaktionen

Wichtigste Kontraindikationen: Magen-Darm-Ulzera, bei Überempfindlichkeit mögliche Kreuzreaktionen mit anderen NSA beachten

Metamizolnatrium (Novalgin, Novaminsulfon)

Darreichungsformen: 1 Kps. = 500 mg
20 Trpf. = 1 ml = 500 mg
1 Supp. = 1 g
1 Amp. = 2 ml = 1 g
1 Amp. = 5 ml = 2,5 g

Dosierung: 500–750–1000 mg 4stündlich

Maximaldosis: 6 g/Tag

Wichtigste Nebenwirkungen: allergische Hautreaktionen, Leukopenie, Agranulozytose, Pyrazolonallergie

Wichtigste Kontraindikationen: akute hepatische Porphyrie, Glukose-6-phosphatdehydrogenasemangel

Paracetamol (Ben-u-ron, Enelfa)

Darreichungsformen (Erwachsene): 1 Tbl. = 500 mg
1 Supp. = 500–1000 mg
5 ml Saft = 1 TL = 200 mg

Dosierung: 500–750–1000 mg 4stündlich

Maximaldosis: 6 g/Tag

Wichtigste Nebenwirkungen: selten gastrointestinale Störungen, bei Überdosierung (>8-10 g/Tag) Lebernekrosen

Wichtigste Kontraindikationen: schwere Nierenfunktionsstörungen, Saccharoseintoleranz

Piroxicam (Felden)

Darreichungsformen: 1 Kps. oder 1 Tbl. = 10 bzw. 20 mg
1 Supp. = 20 mg
1 Amp. = 20 mg

Dosierung: 20(–40) mg/Tag

Maximaldosis: 40 mg/Tag

Wichtigste Nebenwirkungen: s. Diclofenac, zusätzlich Stomatitis, Alopezie, Lichtempfindlichkeit

Wichtigste Kontraindikationen: s. Diclofenac

Zentralwirksame Analgetika

Nur bei einem kleinen Prozentsatz der Tumorpatienten kann durch den konsequenten Einsatz „peripher wirksamer" Analgetika auch über längere Zeit eine zufriedenstellende Schmerzlinderung erzielt werden. Insbesondere bei Progredienz der Erkrankung ist häufig die zusätzliche Verschreibung zentralwirksamer Analgetika erforderlich. Bereits bei Therapiebeginn bestehende stärkere Schmerzen sollten bei nicht ausreichender Wirksamkeit der „peripher wirksamen" Analgetika sofort zu ihrem Einsatz führen. Die häufig gefürchteten Nebenwirkungen wie Atemdepression, Toleranzentwicklung und Suchtgefährdung sollten nicht zum Verzicht auf diese Medikamentengruppe führen. Im folgenden soll auf die Bedeutung dieser Risiken im Rahmen der Behandlung von Tumorpatienten kurz eingegangen werden.

Atemdepression: Bei schmerzfreien Probanden immer nachweisbar, spielt sie bei richtiger Anwendung am Tumorschmerzpatienten klinisch keine Rolle. Es kann unterstellt werden, daß der vigilanzsteigernde Effekt der Schmerzen die atemdepressive Wirkung „antagonisiert". Der hochdosierte Einsatz vigilanzmindernder Komedikamente (Sedativa, Tranquilizer) kann u. U. auch beim Schmerzpatienten eine Atemdepression induzieren. Auch der erfolgreiche Einsatz regionaler Methoden sollte von einer Dosisreduktion begleitet sein, da mit abnehmenden Schmerzen das Opioid nun relativ überdosiert sein kann.

Toleranz: Experimentell läßt sich bei wiederholter Applikation von Opioiden ein Nachlassen der analgetischen Potenz beobachten. Bei Tumorschmerzpatienten läßt sich dieses Phänomen nur selten nachweisen. Opioide können somit bei sorgfältiger Dosierung in vielen Fällen lange Zeit ohne Toleranzentwicklung eingesetzt werden. Erforderliche Dosiserhöhungen lassen sich bei sorgfältiger Untersuchung meist mit erhöhten Schmerzen infolge Tumorwachstums erklären. Bei Übelkeit, Erbrechen und zentraler Dämpfung tritt im Gegensatz zur Obstipation häufig schon nach kurzer Zeit eine Toleranz auf.

Physische und psychische Abhängigkeit: Körperliche Abhängigkeit tritt durch die Gewöhnung an die zugeführte Substanz auf, abruptes Absetzen führt zum Entzug mit körperlichen Symptomen. Psychische Abhängigkeit im Sinne der WHO-Definition tritt beim Tumorpatienten nicht auf, denn sein Verlangen nach dem Medikament ist nicht auf den psychischen Effekt, sondern auf die schmerzstillende Wirkung des Opiates gerichtet. Die antizipative Verabreichung wirkt einer Konditionierung entgegen. Wird durch andere Verfahren eine komplette Analgesie erzielt, so reagiert der Patient auf ein Ausschleichen des Opiates nicht mit Suchtverhalten.

Bei Auswahl und Dosierung der im folgenden aufgeführten Opioide sind Wirkungstyp, analgetische Äquivalenz und Therapieeffekt einer etwaigen Vormedikation zu berücksichtigen (s. Tabelle 1).

• **Schwache zentralwirksame Analgetika:** Viele der auf dem Markt befindlichen Substanzen sind für die Behandlung chronischer Tumorschmerzen aus verschiedenen Gründen ungeeignet. Bewährt haben sich v. a. Codein, Dextropropoxyphen, Tilidin und Tramadol.

Codein, ein Opiumalkaloid, wird in geringer Menge zu Morphin metabolisiert. Die orale Bioverfügbarkeit beträgt rund 70 %.

Dextropropoxyphen entspricht in seiner analgetischen Potenz dem Codein, zeichnet sich jedoch als Retardpräparat durch die lange Wirkungsdauer von 8–12 h aus. Dies vereinfacht den Medikamentenplan, z. B. bei der Kombination mit retardiertem NSA.

Tilidin zeichnet sich durch eine gute orale Bioverfügbarkeit aus, wobei diese bei der eigentlich wirksamen Substanz Nortilidin (Metabolit I) nach oraler Gabe höher liegt als nach intravenöser Verabreichung. Es ist in der Bundesrepublik Deutschland zur Verhinderung von Mißbrauch nur in einer fixen Kombination mit Naloxon im Handel. Ob es sich bei Tilidin um einen reinen Opiatagonisten oder um einen Agonist-Antagonisten handelt, ist in der Literatur umstritten.

Tramadol, bei dem die Zugehörigkeit zu den Opioiden und eine ausschließlich zentrale Wirkungsweise durch neuere Untersuchungsergebnisse in Frage gestellt wurden, hat sich in der Therapie mäßig starker Tumorschmerzen bewährt. Besonders vorteilhaft sind auch die vielfältigen Darreichungsformen.

Alle genannten Substanzen unterliegen nicht der Betäubungsmittelverschreibungsverordnung.

Tabelle 1. Analgetische Äquivalenz und Wirkungsdauer zentralwirksamer Analgetika

Freiname (Handelsname)	Analgetische Äquivalenz	Analgetische Wirkungsdauer (h)
Buprenorphin[a] (Temgesic)	10–20	6–8
Codein[b] (Codeinum phosphoricum Compretten)	1/10	4–6
Dextromoramid[b] (Jetrium)	2–3	1–2
Dextropropxyphen (Develin retard)	1/10	8–12
Hydrocodon[b] (Dicodid)	5	4–8
Levomethadon[b] (Polamidon)	3–4	6–8
Morphinsulfat[b]-hydrochlorid[b] (MST 10, −30, −60, −100 Mundipharma)	1	3–5 8–12
Oxycodon[b] (Eukodal)	2/3–1	3–5
Pentazocin[a] (Fortral)	1/5	2–3
Pethidin[b] (Dolantin)	1/8	1,5–3
Piritramid[b] (Dipidolor)	2/3-1	6–8
Tilidin-Naloxon[c] (Valoron N)	1/5–1/10	3–4
Tramadol[b]	1/8–1/12	3–4

[a] partieller Agonist.
[b] Agonist.
[c] Agonist mit Antagonist.

Medikamentenübersicht

Codein (Codeinum phosphoricum Compretten)

Darreichungsform: 1 Compr. = 30/50 mg
Codeinsirup kann von jeder Apotheke hergestellt werden.

Dosierung: 30–100 mg 4stündlich

Maximaldosis: 600 mg/Tag

Wichtigste Nebenwirkungen: Obstipation, Miktionsstörungen, Verwirrtheitszustände, besonders bei alten, zerebralsklerotischen Patienten

Dextropropoxyphen (Develin retard)

Darreichungsform: 1 Kps. = 150 mg

Dosierung: 1–2 Kps. 8- bis 12stündlich

Maximaldosis: 600 mg/Tag

Wichtigste Nebenwirkungen: Müdigkeit, Benommenheit (Schwindel). *Cave:* Alkohol

Tilidin-Naloxon (Valoron N)

Darreichungsformen: 1 Kps. = 50 mg (+ 4 mg Naloxon)
20 Trpf. = 50 mg (+ 4 mg Naloxon)

Dosierung: 50–100 mg 4stündlich

Maximaldosis: 600 mg/Tag

Wichtigste Nebenwirkungen: Schwindel, Übelkeit, Benommenheit

Tramadol (Tramal)

Darreichungsformen: 1 Kps. = 50 mg
1 Supp. = 100 mg
20 Trpf. = 0,5 ml = 50 mg
1 Amp. = 1 ml/2 ml = 50 mg/100 mg

Dosierung: 50–100 mg 4stündlich

Maximaldosis: 600 mg/Tag

Wichtigste Nebenwirkungen: Übelkeit, Erbrechen, selten Obstipation und Miktionsstörungen

• **Starke zentralwirksame Analgetika:** Von den zahlreichen verfügbaren Substanzen dieser Gruppe haben sich bei der Behandlung von Tumorschmerzen v. a. Buprenorphin, Morphin und Levomethadon bewährt. Da Morphin heute als Medikament der Wahl bei starken Tumorschmerzen gelten muß, soll es hier breiteste Erwähnung finden. Vor allem Buprenorphin, in geringerem Maße auch Levomethadon, können bei speziellen Indikationen oder als Ersatzmedikamente Verwendung finden.

Buprenorphin, ein relativ neues synthetisches Opioid, kann aufgrund seiner günstigen Applikationsform (sublingual) besonders bei Patienten mit Dysphagie oder Passagestörungen im Gastrointestinaltrakt eingesetzt werden. Vorteilhaft sind auch die gute Resorption, der schnelle Wirkungseintritt und die relativ lange Wirkungsdauer. Dennoch darf nicht übersehen werden, daß der partielle Agonist aufgrund des „ceiling effect" nicht für Schmerzen beliebiger Stärke zu verwenden ist.

Levomethadon, ein besonders in den angloamerikanischen Ländern beliebtes synthetisches Opioid zeichnet sich durch eine gute orale Resorption aus. Da aufgrund seiner langen Plasmahalbwertszeit eine nicht unerhebliche Kumulationsgefahr besteht, bedarf es zur Vermeidung von Komplikationen einiger Erfahrung im Umgang mit dieser Substanz. Bei sehr kooperativen Patienten kann eine bedarfsweise Selbstmedikation fixer Dosierungen erfolgreich sein. Hier, wie bei festen Dosierungsintervallen, empfiehlt es sich, die Initialdosis doppelt so hoch wie die folgenden Dosierungen zu wählen. Levomethadon ist wegen seiner schlechten Steuerbarkeit nur als Ausweichmedikament geeignet.

Medikamentenübersicht

Buprenorphin (Temgesic)

Darreichungsformen: 1 Sublingual-Tbl. = 0,216 mg
1 Amp. = 1 ml = 0,324 mg

Dosierung: 0,2–1 mg 6- bis 8stündlich

Maximaldosis: ca. 4 mg/Tag

Wichtigste Nebenwirkungen: Übelkeit, Erbrechen, Obstipation, Sedierung, Schwitzen, orthostatische Dysregulation

Levomethadon (L-Polamidon)

Darreichungsformen: 1 Tbl. = 2,5 mg
20 Trpf. = 1 ml = 5 mg
1 Amp. = 1 ml = 2,5 mg

Dosierung: ab 2,5 mg 6- bis 8stündlich ohne Obergrenze oder bedarfsweise durch den Patienten

Maximaldosis: keine bei Titration gegen den Schmerz

Nebenwirkungen: s. Morphin; *cave:* Kumulationsgefahr

Morphin gilt in der Gruppe der starken zentralwirksamen Analgetika als Mittel der Wahl. Damit wird den Erfahrungen der englischen Hospiz-Bewegung gefolgt, die Morphin als vielseitiges, zuverlässiges und sicheres Medikament in der Behandlung starker Tumorschmerzen empfiehlt. Dies trifft insbesondere dann zu, wenn bei der Applikation einige wenige wichtige Grundregeln befolgt werden:

- Titration der Dosis gegen den Schmerz,
- Beachtung der Vormedikation,
- Beachtung der Nebenwirkungen,
- Verordnung einer Begleitmedikation.

Wegen der guten Titrierbarkeit hat sich Morphinhydrochlorid in wäßriger Lösung, besonders in der Einstellungsphase, bewährt. Sie kann in verschiedenen Konzentrationen (bis 4%ig) von jeder Apotheke hergestellt werden (Rezeptur s. Verschreibung von Betäubungsmitteln).

Vorgehen bei der Dosisfindung:

- Grundsätzlich 4stündliches Dosierungsintervall.
- Die Anfangsdosis liegt gewöhnlich bei 5 mg 4stündlich. Bei Patienten mit stärksten Schmerzen oder vorhergehender Therapie mit anderen starken Opioiden kann eine wesentlich höhere Initialdosis notwendig sein. Hierbei ist eine Orientierung am Effekt der Vormedikation und seiner analgetischen Äquivalenz (s. Tabelle 1) notwendig. Die relative analgetische Potenz der Opioide kann jedoch nur als grobe Richtschnur gelten.
- Bei nicht ausreichender Initialdosis ist eine Erhöhung in folgenden Schritten vorzunehmen:
  5 – 10 – 15 – 20 – 30 – 40 – 60 – 90 – 120 mg 4stündlich.
- Die meisten Patienten sind mit Dosierungen zwischen 5 und 30 mg (4stündlich) gut einzustellen, jedoch sind in schweren Fällen auch weitaus höhere Mengen erforderlich; ein „ceiling effect" ist bei Morphin nicht beschrieben worden.
- Die regelmäßige 4stündliche Gabe kann nachts unterbrochen werden, wenn zur Einschlafzeit die doppelte Dosis verabreicht wird. Wacht der Patient jedoch am frühen Morgen mit stärksten Schmerzen auf, wird eine kontinuierliche 4stündliche Gabe rund um die Uhr empfohlen. Dies gilt auch für alle Patienten, die gewöhnlich mehrmals in der Nacht aufwachen oder wegen Nykturie aufstehen.
- Nahezu durchweg bedarf es der Verordnung einer Begleitmedikation. Zur Beherrschung der morphininduzierten spastischen Obstipation ist die Verabreichung eines Laxans nach Wirkung notwendig. Auf die prophylaktische Gabe von Antiemetika kann nur verzichtet werden, wenn starke Opioide in der Vormedikation gut vertragen wurden.

- Die relativ schlechte Wirksamkeit der Opioide bei bestimmten Schmerzarten (z. B. ossärer oder neuropathischer Schmerz) macht den Einsatz sogenannter Koanalgetika notwendig (s. dort). Der Versuch der Schmerzkupierung durch Steigerung der Opioiddosis führt in diesen Fällen zu keiner ausreichenden Analgesie, hat aber eine stark erhöhte Nebenwirkungsrate zur Folge.
- Eine detaillierte Einnahmeanleitung mit exakten Zeitangaben, Medikamentennamen und Dosierungen muß erstellt werden. Patienten und Angehörige sind auf die folgenden möglichen Nebenwirkungen aufmerksam zu machen:
  - Initialphase: Übelkeit, Erbrechen, Sedierung, Benommenheit;
  - evtl. persistierende Nebenwirkungen: Obstipation, Miktionsstörungen, Schwitzen, Dyspepsie, Müdigkeit und Pruritus.

  Bei ambulanten Patienten ist auf die mögliche Gefährdung im Straßenverkehr hinzuweisen.

Als weitere Darreichungsformen stellen MST-Tabletten, die Morphinsulfat in retardierter Form enthalten, eine sinnvolle Alternative dar. Besonders bei bereits gut eingestellten Patienten in stabiler Situation erleichtern sie die Behandlung, da sie nur in 8- bis 12stündlichem Intervall zu verabreichen sind. Durch ihre lange Wirkdauer sind sie besonders nachts von Vorteil. Sie stehen in den Dosierungen 10, 30, 60 und 100 mg (MST 10, -30,-60, -100 Mundipharma) zur Verfügung. Zu beachten ist, daß sie wegen ihrer verzögerten Wirkstofffreisetzung nicht zur Kupierung von Schmerzattacken geeignet sind. Jedoch kann dem Patienten der Rat gegeben werden, die Tabletten zerkleinert als Bedarfsmedikation zu verwenden, da die dann rascher eintretende Wirkung die sonst notwendige zusätzliche Verordnung von Morphinlösung überflüssig macht. Die Umstellung von Morphinlösung auf MST-Tabletten erfolgt im Verhältnis 1:1.

Sollte eine orale Medikation nicht durchführbar sein, stehen als Alternativen zur Verfügung:

- Morphinsuppositorien (Rezeptur s. Verschreibung von Betäubungsmitteln), in verschiedenen Dosierungen von der Apotheke herstellbar. Die Umstellung von der Morphinlösung erfolgt im Verhältnis 1:1. Wegen des auch hier notwendigen 4stündlichen Applikationsintervalls sind sie oft nur als Übergangslösung geeignet.
- Hochkonzentrierte Morphinlösung sublingual. In den 4stündlichen Dosierungsintervallen kann die Lösung tropfenweise sublingual appliziert werden. Bei einer 4%igen Lösung entsprechen 20 Tropfen (1 ml) 40 mg.

Die Bioverfügbarkeit bei oraler, rektaler und sublingualer Applikation ist vergleichbar.

Bedarfsmedikation

Darunter ist im Gegensatz zur bisher beschriebenen Regelmedikation die Verordnung von Medikamenten für den Bedarfsfall zu verstehen. Diese Verordnung ist bei jeder Therapieeinstellung unbedingt erforderlich; die Verwendung zur Kupierung von Schmerzattacken steht dabei an erster Stelle. Wird dies unterlassen, könnte der Patient sonst eigene, noch verfügbare Analgetika verwenden oder die Regelmedikation entsprechend steigern; beides kann zu unvorhersehbaren Nebenwirkungen und einer Verschlechterung der Analgesie führen (s. „Exemplarischer Therapieplan").

Begleitende Medikation

Hierunter sind Medikamente zur Behandlung therapiebedingter Nebenwirkungen zu verstehen.

Opiatbedingte Übelkeit

Chlorpromazin (Megaphen) 5–10 Trpf. = 5–10 mg 3mal täglich, gelegentlich 4stündlich erforderlich.
Bemerkung: Leicht sedierend, nebenwirkungsarm.

alternativ

Haloperidol (Haldol) 3–5 Trpf. = 0,3–0,5 mg 3mal täglich, gelegentlich 4stündlich erforderlich.
Bemerkung: Kaum sedierend; bei alten Patienten Unruhe, Verwirrtheit und extrapyramidale Störungen möglich.

Opiatbedingte Dyspepsie

Metoclopramid (Paspertin) 10 mg 3mal täglich, gelegentlich 4stündlich erforderlich.
Bemerkung: Wenig sedierend, keine Mundtrockenheit.

Opiatbedingte Obstipation

Lactulose (Bifiteral) 15–45 ml Saft/Tag
alternativ oder kombiniert:
Natriumpicosulfat (Laxoberal) 10–30 Trpf./Tag

Bei Verordnung „peripher wirksamer" Analgetika mit potentiell ulzerogener Wirkung ist, besonders bei gefährdeten Patienten (Anamnese, Inappetenz, starker Nikotin- und Koffeingenuß), immer die prophylaktische Verordnung eines H_2-Antagonisten wie Cimetidin (1mal 1 Tagamet 400 Oblong/Tag) oder Ranitidin (1mal 1 Tbl. Zantic oder Sostril/Tag) in Betracht zu ziehen. Verwirrtheitszustände bei der Kombination von Cimetidin mit hohen Morphindosen sind beschrieben worden. Gelegentlich sind zusätzlich oder alternativ Antazida zu verordnen.

Koanalgetika

Darunter sind Medikamente zu verstehen, die entweder eine eigene antinozizeptive Wirkung besitzen, zur Einsparung von Schmerzmitteln beitragen oder ihre Wirkung verstärken, jedoch keine Analgetika im eigentlichen Sinne sind. Hierzu gehören in erster Linie Kortikoide, Antikonvulsiva, Neuroleptika, Antidepressiva und Tranquilizer.

• **Kortikosteroide:** Sie spielen eine wichtige Rolle in der Therapie von Tumorschmerzen, da sie aufgrund ihrer antiphlogistischen und antiödematösen Wirkung immer dann helfen, wenn Tumormassen, die häufig von einem ausgeprägten perifokalen Ödem umgeben sind, sich in Geweben mit begrenzter Dehnungsfähigkeit oder begrenzten anatomischen Bezirken (z. B. Becken, Kopf-Hals-Region) befinden. Durch ihre Wirkung kommt es zu einer Entlastung im betroffenen Bereich und damit zur Schmerzlinderung. Ob sie auch über ihren Eingriff in die Prostaglandinsynthese analgetisch wirken, bleibt umstritten.

Indikationen:

– Kopfschmerz bei erhöhtem intrakraniellen Druck,
– Nervenkompression,
– Rückenmarkkompression,
– Leberkapselspannungsschmerz,
– Tumor im kleinen Becken,
– retroperitonealer Tumor,
– Lymphödem,
– metastasenbedingte Gelenkschmerzen,
– Weichteilinfiltration, besonders in der Kopf-Hals-Region.

Die evtl. auftretenden roborierenden und euphorisierenden Nebenwirkungen sind bei Tumorpatienten erwünscht. Aufgrund seiner rein glukokortikoiden Wirkung und der relativ langen Wirkungsdauer wird Dexamethason (Fortecortin) bevorzugt verwendet. Die Initialdosis liegt indikationsabhängig bei 8 mg/Tag (Lymphödem), 12 mg/Tag (Weichteilinfiltration, Nervenkompression u. ä.) oder 32 mg/Tag (Hirndruck) und sollte nach einer Woche schrittweise auf ein möglichst niedriges Niveau (2–4 mg/Tag) reduziert werden. Tritt ein deutlicher Therapieeffekt nicht im Laufe von 10–14 Tagen ein, sollte die Dosis gänzlich ausgeschlichen werden. Zur Unterstützung der antiödematösen Wirkung der Glukokortikoide ist bei bestimmten Indikationen (z. B. Hirndruck) die Kombination mit einem Diuretikum zu erwägen.

Medikamentenübersicht

Dexamethason (Fortecortin)

Darreichungsformen: 1 Tbl. = 0,5 mg/1,5 mg/4 mg
1 Amp. = 1 ml/2 ml = 4 mg/8 mg

Dosierung: indikationsabhängig 8–32 mg/Tag (s. oben)

Wichtigste Nebenwirkungen: verminderte Glukosetoleranz, Natriumretention mit Ödembildung, NNR-Atrophie, Magenbeschwerden, Ulcus ventriculi, Glaukom, psychische Störungen, verzögerte Wundheilung

Wichtigste Kontraindikationen: Magen-Darm-Ulzera, psychiatrische Anamnese, akuter Herpes zoster, akuter Herpes simplex, Glaukom, schwere Osteoporose

• **Spasmolytika:** Parasympatholytika führen über ihre hemmende Wirkung an der glatten Muskulatur des Magen-Darm-Kanals, der Gallenwege und der Harnwege zur Dämpfung des parasympathischen Tonus und zur Beseitigung parasympathisch bedingter Spasmen.

Indikationen:

- krampfartige Schmerzen in Magen-Darm-Kanal, Gallen- oder Harnwegen
- Tenesmen von Blase und Darm

Medikamentenübersicht

Butylscopolamin (Buscopan)

Darreichungsformen: 1 Drg. = 10 mg
1 Supp. = 10 mg
1 Amp. = 1 ml = 20 mg

Dosierung: 10–20 mg 4- bis 8stündlich

Maximaldosis: 100 mg/Tag

Wichtigste Nebenwirkungen: Akkomodationsstörungen, Tachykardie, Mundtrockenheit

Wichtigste Kontraindikationen: Engwinkelglaukom, Prostataadenom mit Restharnbildung, mechanische Stenosen im Magen-Darm-Kanal, Tachyarrhythmie, Megakolon, schwere Zerebralsklerose

Metamizol s. „peripher wirkende" Analgetika

- **Antikonvulsiva:** Die schmerzlindernde Wirkung dieser Stoffgruppe beruht vermutlich auf einer Stabilisierung von Nervenmembranen. Die guten Ergebnisse bei der Behandlung von Trigeminusneuralgien führten zu einer Ausweitung des Indikationsbereiches auch auf bestimmte Tumorschmerzen. Geeignete Medikamente sind Clonazepam und Carbamazepin. Wegen seiner besseren Wirksamkeit und der einfacheren individuellen Dosierungsmöglichkeit mit einer Tropfenlösung ist Clonazepam zu bevorzugen. Plasmaspiegelbestimmungen sind bei Einsatz aus schmerztherapeutischer Indikation nicht notwendig. Trotz einschleichender Dosierung tritt anfangs häufig, besonders bei Kombination mit Opioiden, eine stärkere Müdigkeit auf, die jedoch im Laufe der Behandlung nachläßt. Der Patient sollte in dieser Zeit auf die aktive Teilnahme am Straßenverkehr verzichten. Carbamazepin ist strukturell mit den trizyklischen Antidepressiva verwandt, während Clonazepam zu den Benzodiazepinen gehört.

Indikation:

- neuropathische Schmerzen einschießender, stechender, elektrisierender Qualität

Medikamentenübersicht

Clonazepam (Rivotril)

Darreichungsformen: 1 Tbl. = 0,5 mg (2 mg)
25 Trpf. = 1 ml = 2,5 mg (1 Trpf. = 0,1 mg)
1 Amp. = 1 mg

Dosierung: individuelle Einstellung am besten mit Tropfen:
initial 3 – 3 – 5 Trpf.
durchschnittlich 5 – 5 – 10 Trpf.

Maximaldosis: sehr variabel, ca. 4 mg/Tag

Wichtigste Nebenwirkungen: Müdigkeit, besonders in der Initialphase; Muskelrelaxation, Schwindel

Wichtigste Kontraindikationen: Myasthenia gravis

Bemerkung: Rivotrilgabe nicht plötzlich unterbrechen, sondern schrittweise ausschleichen

Carbamazepin (Tegretal)

Darreichungsformen: 1 Tbl. = 200 mg
1 Retard-Tbl. = 400 mg
5 ml Sirup = 100 mg

Dosierung: initial 3mal ½ Tbl.
durchschnittlich 3mal 1 Tbl. bzw. 2mal 1 Retard-Tbl./Tag

Maximaldosis: 3mal 2 Tbl.

Wichtigste Nebenwirkungen: initial Kopfschmerzen, Schwindel, Sehstörungen, Somnolenz, Ataxie; Störungen der Hämatopoese, Hautreaktionen, gastrointestinale Störungen

Wichtigste Kontraindikationen: AV-Block, schwere Leberfunktionsstörungen

• **Zentral angreifende Muskelrelaxanzien:** Muskelverspannungen sind häufig Schmerzursache bei tumor- oder therapiebedingten Körperfehlhaltungen sowie vorbestehenden degenerativen Gelenkerkrankungen. Klinisch imponieren Druckdolenz der Muskulatur, Muskelhartspann oder Myogelose, die durch Irritation benachbarter Nerven zu weiteren Schmerzen führen können. Der entstehende Circulus vitiosus kann durch diese Substanzgruppe unterbrochen werden. Die Wirkung der hier aufgeführten Benzodiazepine verstärkt die präsynaptische GABA-erge Hemmung der α-Motoneuronenaktivität; bei gleichzeitig gewünschter Anxiolyse sollte hier besonders an Diazepam gedacht werden. Die Wirkung des Chlormezanon wird mit einer Hemmung des Muskelspindeltonus erklärt.

Indikationen:

- schmerzhafte Spasmen der quergestreiften Muskulatur,
- schmerzhafte Kontrakturen.

Medikamentenübersicht

Chlormezanon (Muskel Trancopal)

Darreichungsform: 1 Tbl. = 200 mg

Dosierung: 2- bis 3mal 1–2 Tbl./Tag

Maximaldosis: 3mal 2 Tbl./Tag

Wichtigste Nebenwirkungen: Müdigkeit, vereinzelt Mundtrockenheit, leichter Schwindel, allergische Hautreaktionen

Wichtigste Kontraindikation: Myasthenia gravis

Diazepam (Valium)

Darreichungsformen: 1 Tbl. = 5 mg/10 mg (2 mg)
1 Supp. = 5 mg/10 mg
5 ml Sirup = 2 mg
1 Amp. = 2 ml = 10 mg

Dosierung: 5–10 mg/3mal täglich

Maximaldosis: 30 mg/Tag

Wichtigste Nebenwirkungen: Schwindel, paradoxe Reaktionen, Entzugssyndrom bei abruptem Absetzen nach Langzeitanwendung

Wichtigste Kontraindikation: Myasthenia gravis

Tetrazepam (Musaril)

Darreichungsform: 1 Tbl. = 50 mg

Dosierung: initial 3mal ½–3mal 1 Tbl/Tag

Maximaldosis: 4mal 2 Tbl.

Wichtigste Nebenwirkungen: besonders bei älteren Patienten Müdigkeit und paradoxe Reaktionen, Schwindel

Wichtigste Kontraindikation: Myasthenia gravis

• **Tranquilizer:** Bei vielen Tumorpatienten bestehen auch nach erfolgreicher Behandlung der Schmerzen weiterhin Schlafstörungen. Die mit der Dunkelheit einkehrende Ruhe führt bei vielen Patienten zum Nachdenken und Grübeln über den weiteren Krankheitsverlauf; Einschlafstörungen sind die Folge. Auf Dauer führen sie zu einer Senkung der Schmerzschwelle und einer Anhebung des Schmerzniveaus. In den meisten Fällen genügt die schlafanstoßende Wirkung der doppelten Dosis von Opioid oder Psychopharmakon zur Nacht. Gelegentlich ist dies jedoch nicht ausreichend, und zur Gewährleistung einer ausreichenden Nachtruhe muß zusätzlich ein Tranquilizer angeordnet werden. Hat der Patient bereits mit einem Präparat gute Erfahrungen gemacht, sollte es prinzipiell beibehalten werden. Ist dies nicht der Fall, sind kurz- oder mittellangwirksame Präparate wie z. B. Temazepam, Lormetazepam oder Triazolam wegen des fehlenden „hang-over" zu bevorzugen.

Medikamentenübersicht

Lormetazepam (Noctamid)

Darreichungsform: 1 Tbl. = 0,5 mg/1 mg/2 mg

Dosierung: 1–2 mg/Nacht

Nebenwirkungen: Kopfschmerzen, Benommenheit, Bewegungsunsicherheit, Symptomverschlechterung im akuten Stadium endogener Psychosen, Schwindel

Kontraindikationen: akutes Engwinkelglaukom, s. Temazepam

Temazepam (Planum)

Darreichungsformen: 1 Kps. = 20 mg

1 Kps. Planum mite = 10 mg

Dosierung: 10–30 mg/Nacht

Nebenwirkungen: Schwindel, Benommenheit, Kopfschmerz

Wechselwirkung: zentraldämpfende Pharmaka und Alkohol (gegenseitige Wirkungsverstärkung)

Kontraindikationen: bei Patienten mit psychiatrischer Erkrankung ist eine Verstärkung der Symptomatik in Einzelfällen möglich; Myasthenia gravis

Triazolam (Halcion)

Darreichungsform: 1 Tbl. = 0,25 mg/0,5 mg

Dosierung: 0,25–1 mg

Nebenwirkungen: Schwindel, Koordinationsstörungen, Sedierung, Kopfschmerzen, Pruritus, Hautausschlag, Singultus, Diarrhö, Augenbrennen

Wechselwirkungen: s. Temazepan

Kontraindikationen: cave bei eingeschränkter Leber- und Nierenfunktion, s. Temazepam

- **Neuroleptika/Antidepressiva:** Neuroleptika und Antidepressiva sollten in der Behandlung tumorbedingter Schmerzen nicht als Analgetikaersatz Verwendung finden, da sie bezüglich des analgetischen Effektes und ihres verzögerten Wirkungseintritts den verwendeten Opioiden unterlegen sind. In niedriger Dosierung führen sie zu einer affektiven Schmerzdistanzierung, die jedoch nicht auf Kosten einer starken Sedierung erfolgen sollte. Die Auseinandersetzung des Tumorpatienten mit seiner Erkrankung kann und darf nicht verhindert werden, dagegen sind Stimmungsaufhellung und Schlafförderung erwünschte Wirkungen.

Neuroleptika bewirken durch ihren Eingriff in aminerge Transmittersysteme (z.B. Dopamin) eine affektive Schmerzdistanzierung. Bei Kombination mit Opioiden wird eine Potenzierung des analgetischen Effektes beobachtet

(„opioidmimetischer Effekt"). Dennoch ist die prinzipielle Kombination von Opioiden und Neuroleptika wegen der erhöhten Nebenwirkungsrate (z. B. Sedierung) häufig nicht sinnvoll und als Ersatz einer ausreichenden Analgetikadosierung nicht geeignet. Die Substanzen wirken in niedriger Dosierung außerdem sedierend, schlaffördernd und durch ihren Angriff im Bereich der Chemorezeptor-Triggerzone der Area postrema antiemetisch. Die Intensität der Wirkungsqualitäten variiert je nach Medikament. Die Auswahl sollte angepaßt an den Patienten und den gewünschten Effekt erfolgen.

Medikamentenübersicht

Chlorpromazin (Megaphen)

Darreichungsformen: 1 Trpf. = 1 mg
1 Drg. = 25 mg
1 Amp. = 2 ml = 50 mg

Indikationen und Dosierungen:
- opiatbedingte Übelkeit, s. begleitende Medikation
- nächtliche Unruhe und Schlafstörung – 25–50 mg/Nacht

Wichtigste Nebenwirkungen: Kreislaufregulationsstörungen durch α-Blockade, parasympathikolytische Effekte wie Mundtrockenheit, Harnverhaltung

Levomepromazin (Neurocil)

Darreichungsformen: 1 Trpf. = 1 mg
1 Tbl. = 25 mg (100 mg)
1 Amp. = 25 mg

Indikation und Dosierungen:
- nächtliche Unruhe und Angst
- 25–50 mg/Nacht

Bemerkung: stärker sedierend als Chlorpromazin

Wichtigste Wechselwirkungen: s. Chlorpromazin

Thioridazin (Melleril)

Darreichungsformen: 1 Drg. = 25 mg (100 mg)
1 Retard-Tbl. = 30 mg (200 mg)

Indikation: psychovegetative Störungen mit Angst, Unruhe, Schlaflosigkeit

Dosierung: 30–90 mg/Tag, bevorzugt als Einzeldosis zur Nacht

Nebenwirkungen: in höherer als der angegebenen Dosierung kann es, besonders bei Kombinationen mit Opioiden, leicht zu schweren Verwirrtheitszuständen kommen; Akkomodationsstörungen, Galaktorrhö, Ejakulationsstörungen, s. Chlorpromazin

Wechselwirkungen: Verstärkung des Chinidineffekts am Herzen

Kontraindikationen: Blutdyskrasie

Antidepressiva hemmen die Wiederaufnahme aminerger Transmitter wie z. B. Serotonin und Noradrenalin. Damit sind diese inhibitorischen Transmitter länger in höherer Konzentration im synaptischen Spalt vorhanden, die Hemmung wird verstärkt. Über sog. absteigende Hemmbahnen, die den genannten Neurotransmittern zugeordnet werden, soll es zu einer Hemmung der nozizeptiven Information auf spinaler Ebene kommen. Dieser Effekt ist unabhängig von der antidepressiven Wirkung. Bei rezidivfreien Patienten mit therapiebedingten Schmerzen, bei denen sich die Behandlung mit Opiaten in der Regel verbietet, können sie bei bestimmten Indikationen, auch in Kombinationen mit Neuroleptika, eingesetzt werden. Neben einer adäquaten Dosierung ist die Einnahme mindestens 2 Wochen durchzuführen, ehe die Effektivität beurteilt werden kann.

Indikationen:

– neuropathische Schmerzen mit kausalgieformem, brennendem Charakter;
– Parästhesien, Dysästhesien;
– Depression;
– Angst- und Spannungszustände.

Da die Nebenwirkungen zu Behandlungsbeginn am ausgeprägtesten sind, empfiehlt sich eine einschleichende Dosierung. Antidepressiva führen in unterschiedlichem Ausmaß zu anticholinergen Nebenwirkungen (Obstipation, Harnverhaltung, Mundtrockenheit, Akkomodationsstörungen) und können infolge ihres chinidinähnlichen Effektes auf das Myokard zu Reizleitungsstörungen führen. Einige Präparate senken die Krampfschwelle und können so bei Epileptikern Anfälle auslösen.

Medikamentenübersicht

Amitriptylin (Saroten)

Darreichungsformen: 1 Drg. = 10 mg/25 mg
1 Retard-Kps. = 25 mg/75 mg
1 Amp. = 2 ml = 50 mg

Dosierung: 25-150 mg/Tag, einschleichender Therapiebeginn;
bevorzugt als Einzeldosis zur Nacht: 25-100 mg/Tag bei Kombination mit Opioiden

Bemerkung: Hemmung der Serotoninwiederaufnahme, antinozizeptive Eigenschaften, psychomotorisch dämpfend, Gabe der Gesamtdosis zur Nacht möglich

Imipramin (Tofranil)

Darreichungsform: 1 Drg. = 10/25/50 mg

Dosierung: einschleichend 25-100 mg/Tag; vorsichtige Dosierung bei Kombination mit Opioiden

Bemerkungen: stimmungsaufhellend, orthostatische Dysregulationen, Senkung der Krampfschwelle

Mianserin ((Tolvin)

Darreichungsformen: 1 Tbl. = 10 mg/30 mg

Dosierung: einschleichend 30-120 mg/Tag; vorsichtige Dosierung bei Kombination mit Opioiden

Bemerkungen: Tetrazyklikum, geringe Kardiotoxizität, kaum anticholinerge Nebenwirkungen, irreversible Agranulozytosen sind beschrieben

• **Kalzitonin:** Kalzitonin wird zur Behandlung der im Laufe einer Tumorerkrankung gar nicht so selten auftretenden Hyperkalzämie eingesetzt. Daneben wird die Substanz auch zur Therapie von Knochenschmerzen empfohlen; eine immer wieder postulierte zentrale Wirkung soll es auch bei Schmerzen anderer Ursache verwendbar machen.

Während die Autoren gerade bei Phantomschmerzen nach Amputationen die in der Literatur beschriebenen Erfolge reproduzieren konnten, war der Effekt des Einsatzes der Substanz bei der Indikation „Knochenschmerz" durchweg enttäuschend.

Dennoch kann angesichts der geringen Nebenwirkungsrate des hochpotenten Lachskalzitonins ein Therapieversuch auch bei dieser Indikation momentan noch erwogen werden.

Medikamentenübersicht

Kalzitonin (Karil)

Darreichungsform: 1 Amp. = 100 IE Kalzitonin vom Lachs

Dosierung: 100–200 IE als Kurzinfusion (über 1–2 h) oder s. c.

Nebenwirkungen: Übelkeit, Erbrechen, Flush, seltene allergische Reaktionen

Bemerkungen: Die Vorinjektion eines Antiemetikums (z. B. 1 Amp. Paspertin) verhindert meist die während der Infusion auftretende Übelkeit

Zusammenfassende Bemerkungen

Therapieziel bei der medikamentösen Tumorschmerztherapie ist eine möglichst schnelle, weitgehende Schmerzreduktion mit wenig beeinträchtigenden Nebenwirkungen und einem wachen, kommunikationsfähigen Patienten, der möglichst unabhängig von ärztlicher Hilfestellung ist. Nochmals betont werden muß die dynamische Komponente von Tumorschmerzen, die eine kontinuierliche Überwachung von Wirkung und Nebenwirkungen der Behandlung erforderlich macht. Nur ein geringer Prozentsatz der Patienten kann bis zuletzt mit „peripher wirksamen" Analgetika ausreichend therapiert werden, während die Hälfte der Patienten über längere Zeit mit der Stufe 2 eine zufriedenstellende Analgesie erzielt. Die meisten Patienten müssen jedoch mit starken zentralwirksamen Analgetika behandelt werden. Häufigste Koanalgetika sind Kortikoide, Neuroleptika und Antikonvulsiva. Die Behandlung krankheitsbedingter Symptome wie z. B. Obstipation, Diarrhö, Inappetenz, Übelkeit und Erbrechen gehört selbstverständlich zu einer sinnvollen Thera-

Tabelle 2. Koanalgetika in Abhängigkeit von der Schmerzursache.
(Nach Twycross 1980)

Schmerzursache	Koanalgetika
Knochenmetastasen oder -infiltration	NSA
	Kortikoide
Nervenkompresion oder -infiltration	Kortikoide
	Antikonvulsiva
	Neuroleptika
	Antidepressiva
Kopfschmerz bei Hirndruck	Kortikoide
	Diuretika
	Antikonvulsiva
	(Anfallsprophylaxe)
Lymphödem	Kortikoide
	Diuretika
Muskelspasmen	Muskelrelaxanzien
Weichteilinfiltration	NSA
	Kortikoide
Kapselschmerz (Leber, Milz)	Kortikoide

pie (Symptomkontrolle), kann hier jedoch nicht näher ausgeführt werden. Eine zusammenfassende Übersicht über die Indikationen der Koanalgetika gibt Tabelle 2.

Exemplarischer Therapieplan

Auf der Basis der in den voraufgehenden Abschnitten erläuterten Richtlinien sollte für den einzelnen Patienten ein Therapieplan erstellt werden. Dieser sollte in übersichtlicher, für den Patienten verständlicher Form mitgegeben werden; Kopien für mitbehandelnde Kollegen oder die Station (s. Anhang) haben sich als sinnvoll erwiesen.

Bewährt hat sich ein Formular in Form eines Stundenplans, in das die einzelnen Medikamente mit Dosisangaben zu den Einnahmezeitpunkten eingetragen werden (s. Beispiel unten). Hierbei sollten die Uhrzeiten, unter Beachtung der Wirkungsdauer der einzelnen Medikamente, den Lebensgewohnheiten des Patienten angepaßt werden. Als erster Medikationszeitpunkt wird dabei die individuelle Aufwachzeit des Patienten gewählt.

In jedem Fall sollte der Plan einen Vermerk über Art und Indikation von Regel- und Zusatzmedikationen beinhalten; letztere kann der Patient in eigenem Ermessen befolgen.

Der hier dargestellte Therapieplan ist eine mögliche Lösung bei Patienten mit starken Knochenschmerzen aufgrund multilokulärer Skelettmetastasierung.

Das bei Knochenschmerzen sehr gut wirksame nichtsteroidale Antirheumatikum Diclofenac ist aufgrund seiner retardierten Darreichungsform dabei ideal mit Morphin in Form von MST-Tabletten im 12-h-Rhythmus kombinierbar. Die um 8.00 Uhr beginnende Tagesmedikation ist hierbei der Aufwachzeit des Patienten angepaßt; auf Voltaren-Suppositorien wurde auf Wunsch des Patienten verzichtet. Die Komedikation aus Antiemetikum, Laxans und Hypnotikum zur Nacht ist durch den H_2-Antagonisten Ranitidin zur Ulkusprophylaxe ergänzt worden.

Die Bedarfsmedikation besteht in diesem Falle sinnvollerweise aus der nichtretardierten Darreichungsform des bereits als Dauermedikation eingesetzten nichtsteroidalen Antirheumatikums.

„Stundenplan" für Medikamenteneinnahme (Beispiel)

Knochenschmerz

8.00 Uhr	1 Drg.	Voltaren retard ($= 100$ mg)	– Schmerzmittel
	1 Tbl.	MST 30 Mundipharma ($= 30$ mg)	– Schmerzmittel
	3 Trpf.	Haldol ($=0,3$ mg)	– gegen Übelkeit
	2 El	Bifiteral-Saft	– Abführmittel
	1 Tbl.	Zantic ($=150$ mg)	– Magenschutz
14.00 Uhr	3 Trpf.	Haldol ($=0,3$ mg)	
20.00 Uhr	1 Drg.	Voltaren retard ($= 100$ mg)	
	1 Tbl.	MST 30 Mundipharma ($= 30$ mg)	
	5 Trpf.	Haldol ($= 0,5$ mg)	
	1 Tbl.	Zantic ($= 150$ mg)	
Zur Einschlafzeit:	1 Tbl.	Noctamid 1,0 ($= 1$ mg)	– Schlafmittel

Bedarfsmedikation: bei Schmerzen zusätzlich 1 Tbl. Voltaren 50 mg (max. 2mal/Tag)

Parenterale Schmerztherapie

Wie in den vorangegangenen Abschnitten dargestellt, sollte die medikamentöse Therapie von Tumorschmerzen bevorzugt oral durchgeführt werden. Dennoch gibt es Situationen, in denen eine parenterale Therapie notwendig oder vorteilhaft ist.

Indikationen:

- therapieresistente Übelkeit und Erbrechen,
- Obstruktion im Gastrointestinaltrakt,
- Koma,
- Dysphagie,
- Stomatopharyngitis,
- schwerste Schmerzattacken und akute Ereignisse,

- hoher oraler Analgetikabedarf,
  a) bei unbefriedigender Analgesie,
  b) bei intolerablen Nebenwirkungen.

Ist ein venöser oder sogar zentralvenöser Zugang vorhanden, so sollte die Dauerinfusion zur Schmerztherapie gewählt werden. Dieses Vorgehen bewirkt das Erreichen stabiler Blutspiegel und ermöglicht eine gute Titration der Schmerzen. Auch in diesem Fall empfiehlt sich die Kombination eines „peripher-" mit einem zentralwirksamen Analgetikum. Bewährt hat sich die Kombination von Metamizol mit Tramadol in der Stufe 2 bzw. Piritramid oder Morphin in der Stufe 3. Die Metamizoldosierung entspricht der bei oraler Applikation. Die analgetischen Äquivalenzdosen (s. Tabelle 1) der Opioide sind auch hier zu beachten. Bei vorhergehender oraler Morphintherapie muß die parenterale Morphindosis aufgrund der sehr variablen oralen Resorption erneut ermittelt werden. In den meisten Fällen ist eine Dosisreduktion auf ein Drittel bis die Hälfte möglich. Die benötigten Piritramiddosen liegen i. allg. zwischen 30 und 90 mg/24 h. Die Kombination mit Koanalgetika ist auch bei parenteraler Applikation unter Berücksichtigung der Kompatibilität möglich.

Liegt kein intravenöser Katheter, so stellt die subkutane Morphintherapie eine Alternative dar. Hierzu kann in 4stündlichen Abständen Morphin über eine liegende Butterflykanüle injiziert werden. Besser aufgrund der gleichmäßigeren Plasmaspiegel ist jedoch eine kontinuierliche, subkutane Applikation mittels eines tragbaren Kleinstperfusors. Die in verschiedenen Ausstattungen und Preisklassen verfügbaren Pumpen werden über einen dünnen Schlauch mit einer subkutanen Nadel verbunden. Die Fließgeschwindigkeit ist programmierbar. Bei instabilen Schmerzsyndromen sind Geräte mit einer Bolustaste, die es dem Patienten ermöglicht, bei Schmerzattacken eine zusätzliche Morphindosis anzufordern, von Vorteil. Die leichten und kleinformatigen Pumpen und subkutanen Nadeln mit selbstklebender Befestigung schränken die Mobilität des Patienten kaum ein. Eine Verwendung in der ambulanten Therapie ist möglich.

Verschreibung von Betäubungsmitteln

Anforderung von Betäubungsmittelrezepten bei der Bundesopiumstelle

Jede zur ärztlichen Berufsausübung befugte Person kann Betäubungsmittelrezepte anfordern. Bei der ersten Anforderung ist die Berufsberechtigung nachzuweisen (Fotokopie der Approbationsurkunde oder Bestätigung der zuständigen Ärztekammer auf dem Antragsformular).

Adresse:
Bundesopiumstelle, Bundesgesundheitsamt, Genthiner Str. 38,
1000 Berlin 30, Tel: 030/25492-0

Vorgehen bei der Verschreibung

Betäubungsmittelrezepte sind ausschließlich zur Verschreibung von Betäubungsmitteln bestimmt. Sollte ein Patient neben dem Betäubungsmittel noch andere Medikamente benötigen, können diese zusätzlich auf das Betäubungsmittelrezept geschrieben werden.

Das amtliche Formblatt ist auf dem Kodierrand mit einer 7stelligen BGA-Nummer des jeweiligen Arztes versehen. Durch diese Kennzeichnung werden die Betäubungsmittelrezepte zu dessen ausschließlicher Verwendung bestimmt und dürfen nur im Vertretungsfall auf einen anderen Arzt übertragen werden. Das Betäubungsmittelrezept enthält die Teile I, II und III. Die Teile I und II, d.h. das obere und untere Blatt, sind für den Patienten zur Vorlage in der Apotheke bestimmt (Teil I für Überwachungszwecke, Teil II zur Verrechnung). Teil III ist von dem betreffenden Arzt nach Ausstellungsdaten geordnet 3 Jahre aufzubewahren und auf Verlangen der zuständigen Landesbehörde zuzusenden oder deren Beauftragten vorzulegen. Gleiches gilt für die Teile I, II und III fehlerhaft ausgefüllter Betäubungsmittelrezepte.

Ein Verlust von Betäubungsmittelrezepten ist dem Bundesgesundheitsamt unverzüglich unter Angabe der Rezeptnummer anzuzeigen. Die bei Aufgabe der ärztlichen Tätigkeit nicht gebrauchten Rezepte sind an das Bundesgesundheitsamt zurückzugeben.

Angaben auf dem Betäubungsmittelrezept bei der Verschreibung für einen Patienten

1) Name, Vorname und Anschrift des Patienten *(vom Arzt oder Personal handschriftlich oder maschinell auszufüllen)*.
2) Ausstellungsdatum *(vom Arzt handschriftlich einzutragen)*.
3) Bezeichnung, Darreichungsform, Gewichtsmenge je Packungseinheit, Stückzahl (in Wort und Zahl) *(vom Arzt handschriftlich einzutragen)*.
4) Gebrauchsanweisung mit Einzel- und Tagesgabe sowie Verordnungszeitraum *(vom Arzt handschriftlich einzutragen)*.
5) Name des Arztes, seine Berufsbezeichnung, vollständige dienstliche Anschrift und **Telefonnummer** *(vom Arzt oder Personal handschriftlich oder maschinell auszufüllen)*.
6) Bei Überschreitung der Tageshöchstmenge Vermerk „Menge ärztlich begründet" anbringen *(vom Arzt handschriftlich einzutragen)*.
7) Ungekürzte Unterschrift (ggf. mit Doktortitel) *(vom Arzt handschriftlich zu vollziehen)*.

Im Falle einer Änderung der Verschreibung hat der Verordnende die Änderung auf allen Teilen des Betäubungsmittelrezeptes handschriftlich zu vermerken und durch seine Unterschrift zu bestätigen.

Von der Ausstellung des Betäubungsmittelrezeptes bis zur Vorlage in der Apotheke dürfen nicht mehr als 7 Tage vergehen. Die Apotheke ist verpflichtet, die verordnete Menge genau abzugeben, ggf. auch als Anbruchpackung.

Tageshöchstmengen

Die zuletzt im August 1986 geänderte Betäubungsmittelverschreibungsverordnung regelt in Art. 2, § 2 die einfachen Höchstmengen der Betäubungsmittel. Aufgeführt werden hier nur im Abschnitt „Medikamentöse Therapie" empfohlene Betäubungsmittel. Die Höchstmengen anderer Betäubungsmittel sind in der Roten Liste nachzuschlagen.

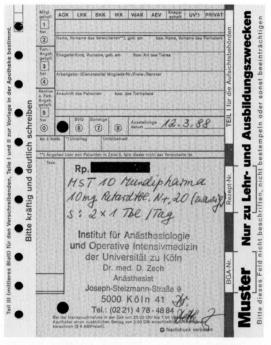

Abb. 1. Verschreibung von oralem Morphin (MST 10 Mundipharma) bei einer Tagesdosis bis 200 mg. Bedarf für 10 Tage rezeptiert; da die Höchstmenge nicht überschritten wurde, entfällt der Vermerk „Menge ärztlich begründet" und der Verordnungszeitraum

Der Arzt darf für einen Patienten an einem Tage verschreiben:

Buprenorphin   10 mg,
L-Methadon   60 mg,
Morphin   200 mg,
Piritramid   220 mg.

Bei Verordnung der einfachen Tageshöchstmenge gibt es keine Begrenzung auf einen Bedarf von bis zu 7 Tagen, d. h. wenn ein Patient beispielsweise 2mal 1 Tbl. MST 10 pro Tag einnimmt, kann mit einem Betäubungsmittelrezept der Bedarf für 10 Tage rezeptiert werden. Auch der Zusatz „Menge ärztlich begründet" darf dann entfallen (Abb. 1). In diesem Fall kann bei Verordnung einer Morphinlösung auch auf den Zusatz von Carboxymethylcellulosenatrium verzichtet werden und statt dessen Sirup. simplex zur Geschmacksverbesserung zugegeben werden (Abb. 2).

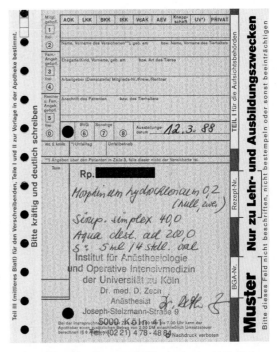

Abb. 2. Verschreibung von oralem Morphin (Lösung 0,1 %; 1 ml ≙ 1 mg) bei einer Tagesdosis *bis 200 mg*. Auf die Verordnung von Carboxymethylcellulosenatrium kann hier verzichtet werden. Statt dessen wird zur Geschmacksverbesserung Sirup. simplex hinzu verordnet

Der Arzt darf für einen Patienten, der in seiner Dauerbehandlung steht, in einem besonders schweren Krankheitsfall, sofern die Schwere der Krankheit es erfordert, an 1 Tag eines der nachstehenden Betäubungsmittel wie folgt verschreiben:

Buprenorphin, Levomethadon, Piritramid und Morphin bis zum Zweifachen der einfachen Höchstmenge für den Bedarf von bis zu 7 Tagen:

Buprenorphin   20 mg (mal 7)
L-Methadon   120 mg (mal 7)
Morphin   400 mg (mal 7)
Piritramid   440 mg (mal 7)

In diesem Fall ist der eigenhändige Vermerk „Menge ärztlich begründet" auf dem Rezept anzubringen.

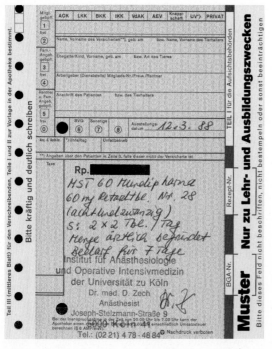

Abb. 3. Verschreibung von oralem Morphin (MST 60 Mundipharma) bei einer Tagesdosis über 200 mg. Vermerke „Bedarf für 7 Tage" und „Menge ärztlich begründet" anbringen

Morphin nur zur oralen Anwendung:

- als Kapseln oder Tabletten mit verzögerter Wirkstoffabgabe je Anwendungstag bis zum Fünffachen der einfachen Höchstmenge für den Bedarf
von bis zu 7 Tagen, d.h. max. 1 g pro Tag und 7 g pro Rezept (Retardtabletten MST 10, – 30, – 60, – 100 Mundipharma; Abb.3 und 4)
- als Lösung bis zu einem Gehalt von 4% unter Zusatz von mindestens 1%
Carboxymethylcellulosenatrium je Anwendungstag bis zum Zehnfachen
der einfachen Höchstmenge für den Bedarf von bis zu 7 Tagen (max. 2 g
pro Tag und 14 g pro Rezept; Abb.5).

In diesen Fällen ist der eigenhändige Vermerk „Menge ärztlich begründet"
auf dem Rezept anzubringen.

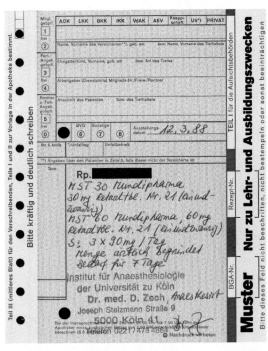

Abb. 4. Verschreibung von oralem Morphin (MST 30 Mundipharma und MST 60
Mundipharma) bei einer Tagesdosis über 200 mg. Vermerke „Bedarf für 7 Tage" und
„Menge ärztlich begründet" anbringen. Ein Betäubungsmittel kann in 2 verschiedenen
Darreichungsformen auf einem Rezept verordnet werden

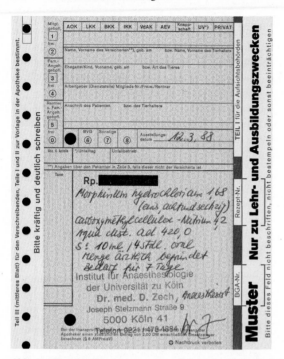

Abb. 5. Verschreibung von oralem Morphin (Lösung 0,4%; 1 ml ≙ 4 mg) bei einer Tagesdosis über 200 mg. Hier ist der Zusatz von Carboxymethylcellulosenatrium gesetzlich vorgeschrieben. Vermerke „Bedarf für 7 Tage" und „Menge ärztlich begründet" anbringen

Buprenorphin oder Morphin nur zur periduralen oder intrathekalen Anwendung je Anwendungstag bis zur einfachen Höchstmenge für den Bedarf von bis zu 28 Tagen.

Morphin   200 mg mal 28 = 5,6 g max.
Buprenorphin   10 mg mal 28 = 280 mg max.

Eine Einnahmeanweisung mit Einzel- und Tagesmenge des verordneten Betäubungsmittel muß in diesem Fall *nicht* vorhanden sein. Angegeben werden muß jedoch, für wieviele Tage das Opiat verordnet werden soll, außerdem muß der Zusatz „Menge ärztlich begründet" angefügt werden.

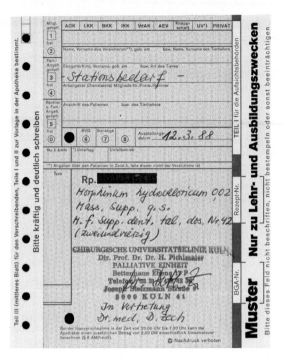

Abb. 6. Verschreibung von Morphinsuppositorien für den Stationsbedarf ohne Höchstmengenbegrenzung. Ausstellung durch den vertretenden Stationsarzt

Verordnung von Betäubungsmitteln für den Stationsbedarf

Die Verschreibungsbefugnis für den Stationsbedarf oder einer entsprechenden Organisationseinheit obliegt dem Leiter oder dem, der sie in dessen Abwesenheit beaufsichtigt. Im Falle der zulässigen Ausfertigung eines Betäubungsmittelrezeptes durch den Vertreter des durch Krankheit, Urlaub oder anderweitig verhinderten Arztes, an den dieses Formblatt ausgegeben wurde, ist es angezeigt, daß der Berechtigte vor seinen Namen, seine Anschrift etc. die Worte „in Vertretung" zusetzt (s. Abb. 6). Die Verschreibung erfolgt ohne Höchstmengenbegrenzung. Sie ist jedoch auf den *angemessenen Bedarf* der jeweiligen Teileinheit abzustellen. Wenn ärztlich begründet, dürfen einem Patienten an 1 Tag mehrere Betäubungsmittel (auch nebeneinander) verschrieben werden.

Angaben auf dem Betäubungsmittelrezept für den Stationsbedarf

1) Name oder Bezeichnung des Krankenhauses, bei gegliederten Einrichtungen auch die Bezeichnung der Teileinheit (Station o. ä.) und dessen vollständige Anschrift *(vom Arzt oder Personal handschriftlich oder maschinell auszufüllen)*.

2) Ausstellungsdatum *(vom Arzt handschriftlich einzutragen)*.

3) Bezeichnung, Darreichungsform, Gewichtsmenge des enthaltenden Betäubungsmittels (je Packungseinheit bei Injektions- und Tropfflaschen, je abgeteilte Form u. a. bei Ampullen, Tabletten, Suppositorien), Stückzahl *(vom Arzt handschriftlich einzutragen)*.

4) Name des Arztes, seine Berufsbezeichnung, vollständige dienstliche Anschrift und Telefonnummer *(vom Arzt oder Personal handschriftlich oder maschinell auszufüllen)*.

5) Ungekürzte Unterschrift (ggf. mit Doktortitel) *(vom Arzt handschriftlich zu vollziehen)*.

Nachweis über den Verbleib und den Bedarf von Betäubungsmitteln für den Stationsbedarf: Jede Veränderung im Bestand für den Stationsbedarf muß auf Karteikarten oder in Betäubungsmittelbüchern auf amtlichem Formblatt geführt werden. Diese werden herausgegeben von der Bundesanzeiger-Verlagsgesellschaft m. b. H., Postfach 108008, 5000 Köln 1.

Für jedes Betäubungsmittel ist eine Karteikarte oder Seite über den Nachweis des Verbleibs und Bestands für den Stationsbedarf zu führen. Auf der Seite ist neben der Bezeichnung des Betäubungsmittels der bei der Bundesopiumstelle für die vewendeten Rezepte registrierte Arzt einzutragen sowie

- Datum des Zugangs oder Abgangs,
- Angaben über Lieferer (Apotheke) oder Empfänger (Patient) bzw. die sonstige Herkunft (Station X oder den sonstigen Verbleib, z. B. Vernichtung),
- zugegangene oder abgegebene Menge (bei nicht abgeteilten Zubereitungen, z. B. Morphinlösung) in *g* oder *mg;* bei abgeteilten Zubereitungen in *Stück;* bei abgeteilten flüssigen Zubereitungen (z. B. Injektionslösungen) auch in *ml* zulässig.

Bei einem Zugang auf Betäubungsmittelrezept für den Stationsbedarf sind zusätzlich neben dem Arzt (Name usw.), der das Betäubungsmittel verschrieben hat, auch die Nummer des Betäubungsmittelrezepts zu verzeichnen.

Verantwortlich für die Nachweisführung ist der Arzt, der eine Teileinheit leitet, auch wenn er mit der Führung der vorgeschriebenen Aufzeichnungen eine Hilfskraft betraut hat. Er muß zumindest am Ende eines jeden Kalendermonats die Nachweisführung überprüfen und hat, wenn bei einer Zubereitung eine Bestandsänderung eingetreten ist, das Datum seiner Prüfung und sein Namenszeichen anzubringen. Diese Aufzeichnungen sind von den jeweils verantwortlichen Ärzten 3 Jahre, von der letzten Eintragung an gerechnet, aufzubewahren. Verbleibnachweise über einen Stationsbedarf sind bei einem Wechsel in der Leitung der Teileinheit an den nachfolgenden Arzt zu übergeben. Hierbei haben die beteiligten Personen das Datum der Übergabe sowie den übergebenen Bestand zu vermerken und durch ihre Unterschrift zu bestätigen.

Die Nichtbeachtung der betäubungsmittelrechtlichen Vorschriften kann ein Straf- und/oder Bußgeldverfahren nach sich ziehen.

Checkliste: häufige Fehler bei der Ausstellung von Betäubungsmittelrezepten

- *Datumangabe nicht eigenhändig durch den Arzt erfolgt!*
- *Stückzahl nicht in Worten wiederholt!*
- *Gebrauchsanweisung mit Einzel- und Tagesgabe vergessen!*
- *Hinweis zur oralen Anwendung bei hochdosierter Morphinlösung aus dem Rezept nicht ersichtlich!*
- *Vermerk „Menge ärztlich begründet" bei Überschreitung der Höchstmenge vergessen!*
- *Unvollständige Anschrift, z. B. fehlende Telephonnummer!*
- *Unvollständige Unterschrift!*

Literatur

Bouckoms AJ (1982) Analgesic adjuvants: The role of psychotropics, anticonvulsants and prostaglandin inhibitors. Drug Therapy 12: 179-86

Brune K (1986) Schmerzmittel auf dem Prüfstand. Fortschr Med 104: 483-8

Campell CF, Mason JB, Weiler JM (1983) Continuous subcutaneous infusion of morphine for the pain of terminal malignancy. Ann Intern Med 98: 51

Drexel H, Lang AH, Spiegel RW (1985) Pumpengesteuerte subkutane Opiat-Infusion zur Behandlung schwerster Schmerzen. DMW 110: 1063-67

Foley KM (1979) The management of pain of malignant origin. In: Tyler HR, Dawson DM (eds) Advances in pain research and therapy, vol 2. Raven, New York

Foley KM (1985) The treatment of cancer pain. N Engl J Med 313: 84-95

Friderichs E, Felgenhauer F, Jongschaap P (1978) Pharmakologische Untersuchungen zur Analgesie, Abhängigkeits- und Toleranzentwicklung von Tramadol, einem stark wirkenden Analgetikum. Arzneim Forsch 28: 122-34

Getto C (1987) Antidepressiva und chronischer nichtmalignaner Schmerz: eine Übersicht. J Pain Sympt Manag 2: 9-18

Hutchinson HT, Leedham GD, Knight AM (1981) Continuous subcutaneous analgetics and antiemetics in domiciliary terminal care. Lancet II: 1279

Junge WK, Kimbel KH (1985) Betäubungsmittel: Pharmakologie und Verordnung. G. Fischer, Stuttgart New York

Junge WK, Kimbel KH (1986) Betäubungsmittel: Pharmakologie und Verordnung. Aktuelle Ergänzung zu Kapitel 3: Das Verschreiben von Betäubungsmitteln. G. Fischer, Stuttgart New York

Kewitz H (1987a) Das Metamizol Problem. DÄB 84, 47: 1992-95

Kewitz H (1987b) Metamizol – Führt die Indikationseinschränkung zu einem Rückgang der Agranulozytose? DÄB 84: 1217-22

Kleibel F, Schmidt G (1984) Salm – Calcitonin bei metastatischen Knochenschmerzen. Dtsch Med Wochenschr 109: 944

Kocher R (1981) Psychopharmaka bei chronischen Schmerzen. Schweiz Med Wochenschr 111: 1954-64

Kossmann B, Hecht M, Bowdler I, Kilian J, Möller MR (1985) Therapie von Karzinomschmerzen. Vergleich einer wäßrigen Morphinlösung mit MST Tabletten. Schmerz – Pain – Douleur 4: 143-51

Lehmann KA, Reichling U, Wirtz R (1988) Influence of naloxone on the postoperative analgesic and respiratory effects of buprenorphine. Eur J Clin Pharmacol 34: 343-52

Lintz W, Barth H et al. (1986) Bioavailability of enteral tramadol formulations. Arzneim Forsch 36: 1278-83

Moertel CG, Ahmann DL, Taylor WF, Schwartau N (1974) Relief of pain by oral medications. A controlled evaluation of analgesic combinations. J Am Med Wom Assoc 229: 55-59

Portenoy RK (1986) Continuous infusion of opioid drugs in the treatment of cancer pain: Guidelines for use. J Pain Sympt Manag 1: 223-8

Saunders C, Baines M (1983) Living with dying: The management of terminal disease. Oxford University Press, Oxford

Säwe J, Hansen J, Ginman C, et al. (1981) Patient controlled dose regiment of Methadone for chronic cancer pain. Br Med J 282: 771-3

Sloan PA, Thirlwell M et al. (1987) The pharmacokinetics of sustained – release morphine tablets and oral morphine solution. A multicentre double – blind, cross – over trial. Anesth Analg 66: SI 60

Sorge J (1987) Verordnung von Betäubungsmitteln. Onkologische Mitteilungen für Niedersachsen 10: 1-9

Swerdlow M, Cundill JG (1981) Anticonvulsant drugs used in the treatment of lancinating pain. A comparison. Anaesthesia 36, 12: 1129-32

Szanto J, Sandor J (1983) Preliminary observations on the analgesic effect of salmon Calcitonin in osteolytic metastases. Clin Trials J 20: 266

Tempest SM (1982) Pain control in terminal illness. Pharm J 229: 550-60

Twycross RG (1980) Medical treatment of chronic cancer pain. Bull Cancer 67: 209-16

Twycross RG (1981) Rehabilitation in terminal cancer patients. Int Rehab Med 3: 135-44

Twycross RG (1982) Ethical and clinical aspects of pain treatment in cancer patients. Acta Anaesthesiol Scand 74: 83-90

Twycross RG, Lack SA (1983) Symptom control in far advanced cancer: pain relief. Pitman, London

Ventafridda V (1984) Use of analgetic drugs in cancer pain. In: Benedetti C (ed) Advances in pain research and therapy, vol 7. Raven, New York

Ventafridda V, Spoldi E, Caraceni A (1986) The importance of continuous subcutaneous morphine administration for cancer pain control. Pain Clin 1: 46-55

Walsh TD (1984) Opiates and respiratory function in advanced cancer. Recent Results Cancer Res 89: 115-17

Walsh TD (1985) Clinical evaluation of slow – release morphine tablets. Adv Pain Res Ther 9: 184–98

Wilder-Smith CH, Senn HJ (1987) Schmerzen bei Tumorpatienten. Arzneimitteltherapie 5: 139–51

World Health Organization (1986) Cancer Pain Relief. WHO, Geneva

Wright BM, Callan K (1979) Slow drug infusions using a portable syringe driver. Br Med J 2: 582

Zenz M (1985) Ambulante Schmerztherapie mit Opiaten. Diagnostik 18: 24–7

Chemische Neurolysen

U. Hankemeier

Einleitung

Viele Patienten versprechen sich von der „Durchschneidung von Nerven"
eine völlige Schmerzfreiheit. Gerade auch im Gespräch mit Tumorschmerzpatienten wird dieser Wunsch häufig vorgetragen. Die Indikationsstellung
zur chemischen Neurolyse sollte jedoch nur nach gründlicher Schmerzanalyse und bei genau definierter Schmerzsituation zwischen Arzt und Patient
diskutiert werden. Dabei ist es zur besseren Einschätzung der Wirkung (für
Arzt und Patient) oft von Vorteil, vorher eine diagnostische Nervenblockade
mit Lokalanästhetika genau in dem Bereich durchzuführen, in dem später die
Neurolyse geplant ist. Die technischen Voraussetzungen der Testblockade
müssen dabei identisch sein mit denen der späteren Neurolyse (gleiche
durchgeführte Technik – z. B. Bildwandlerkontrolle, hohe Konzentration und
gleiches Volumen des Lokalanästhetikums). Bei genau bekannten Voraussset-
zungen (z. B. typischer gürtelförmiger Oberbauchschmerz bei Pankreaskarzinom oder Wiederholung einer Neurolyse bei gleichgebliebener Tumorausdehnung) kann in Absprache mit dem Patienten auf eine Testblockade wegen
der dann unnötigen Belastung verzichtet werden. Eine ausführliche Aufklärung über Nebenwirkungen und mögliche Komplikationen muß selbstverständlich sein. Zur Vorbereitung für die chemische Neurolyse gehören:

- Aufklärung des Patienten über Nutzen, Risiken und eventuelle alternative
  Methoden,
- evtl. erforderliche Testblockade mit Lokalanästhetikum,
- i.v.-Verweilkanüle mit Infusion,
- Bereitlegen eines Intubationsbesteckes, Vorhandensein von Beatmungs-
  möglichkeit und Sauerstoffanschluß,
- Bereitlegen von Atropin, Sedativum, Vasopressor, Katecholamine.

Über die Möglichkeit zur Durchführung einer schmerzreduzierenden chemischen Neurolyse sollte zumindest immer nachgedacht werden, wenn es zu
einer Verstärkung der Schmerzen des Patienten, also zu einem „Mehr an Therapie", kommt. Oft ist es jedoch nach chemischen Neurolysen auch möglich,
vorherige Analgetika zu reduzieren oder ganz abzusetzen.

Die im folgenden vorgestellten chemischen Neurolysen sind nach Abwägung der Verhältnismäßigkeit (Nutzen und Wirkung - technischer Aufwand - Neurolysedauer - Nebenwirkungen bzw. Komplikationen) die einzig akzeptablen Nervenzerstörungen bei Patienten mit Tumorschmerzen. Andere denkbare Neurolysen an zentralen oder peripheren Nervenstrukturen sollten unterbleiben.

Gebräuchliche Neurolytika

Zur chemischen Zerstörung von Nerven werden in der Schmerztherapie unterschiedliche Neurolytika angewendet:

- Äthanol (50-96 Vol.-%),
- Phenol (gelöst in Wasser, 5-10 Vol.-%),
- Phenol (gelöst in Wasser und Glyzerin, 7-10 Vol.-%),
- Chlorcresol (gelöst in Glyzerin, 2 Vol.-%),
- Ammoniumsulfat (gelöst in Wasser, 10-20 Vol.-%).

Hiervon steht nur 96%iges Äthanol in Ampullenform zur Verfügung. Die Anwendung unterschiedlicher Äthanolkonzentrationen - z.T. auch vermischt mit Lokalanästhetika und Röntgenkontrastmitteln - ist daher relativ einfach und auch verbreitet. Alle übrigen Neurolytika sind vom Bundesgesundheitsamt nicht zugelassen und müssen daher in Eigenverantwortung hergestellt werden. Bei Phenol ist auch ein Bezug über die internationale Apotheke möglich. Es wird dann aus England fertig verpackt geliefert. Das neben Äthanol verbreitetste Neurolytikum ist 5-10%iges Phenol - für die intrathekale Anwendung vermischt mit Glyzerin. Sehr selten angewendet werden Chlorcresol (lange Wirkungszeit, jedoch hohe Komplikationsrate) oder Ammoniumsulfat (relativ kurze Wirkungszeit von 2-4 Wochen). Sie können zur chemischen Neurolyse bei Turmorschmerzen aus neuerer Sicht nicht empfohlen werden.

Chemische Neurolytika sind nicht nervenspezifisch (!); sie können in Abhängigkeit von der Konzentration auch alle umliegenden Strukturen zerstören. So würde z.B. eine Kanülenspitzenlage in (oder direkt an) der Aortenwand bei Gabe von Phenol oder Äthanol eine Aortenwandruptur zur Folge haben können. Dies bedingt, daß grundsätzlich mit kleinsten Volumina gearbeitet werden muß und daß die Lage der Kanülenspitze, wenn möglich, mit bildgebenden Verfahren kontrolliert werden muß.

Welchem Neurolytikum bei den einzelnen Nervenblockaden der Vorzug gegeben wird, ist nur teilweise von der jeweiligen Erfahrung des Therapeuten abhängig. So ist z.B. eine intrathekale Neurolyse sowohl mit Äthanol als auch mit Phenol (gelöst in Glyzerin) möglich und die Wahl des Neurolytikums abhängig von der Erfahrung des Therapeuten. Bei der chemischen Neurolyse des Plexus coeliacus muß jedoch wegen der Erforderlichkeit großer Volumina und der dadurch allgemeintoxischen Wirkung des Phenols Äthanol angewandt werden.

Weitere Nachteile des Phenols (im Gegensatz zu Äthanol) sind seine hohe Lichtempfindlichkeit (Aufbewahrung muß also lichtgeschützt erfolgen) und die chemische Zersetzung von Gummi und teilweise auch Plastik. Injektionen mit Verwendung von Plastikeinmalspritzen und Kunststoffkathetern müssen also vermieden werden. Der Vorteil des Phenols gegenüber Äthanol liegt darin, daß die sehr gefürchtete sog. postneurolytische Neuritis des peripheren Nervs (Komplikationsrate bei Gabe von Äthanol 10–20%) nicht oder nur sehr selten vorkommt.

Technisch gesehen ist die Durchführung einer chemischen Neurolyse genauso einfach – oder schwierig – wie eine Nervenblockade mit Lokalanästhetikum. Da jedoch möglichst geringe Volumina gegeben werden müssen, muß die Kanülenplazierung sehr exakt erfolgen. Dies zwingt teilweise zur Verwendung von Kontrastmitteln und bildgebenden Verfahren. Nach jeder neurolytischen Blockade muß die Kanüle vor dem Herausziehen vom Neurolytikum durch Spülung mit 0,9%iger NaCl-Lösung befreit werden.

Bei Tumorschmerzen kommen folgende Eingriffe in Betracht:
- intrathekale Neurolyse (Th$_3$–Th$_{12}$),
- intrathekaler, neurolytischer Sattelblock,
- peridurale bzw. kaudale Neurolyse,
- Neurolyse der viszeralen Afferenzen im Bereich des Plexus coeliacus,
- Neurolyse im Bereich des lumbalen Sympathikus,
- Neurolyse im Bereich des thorakalen Sympathikus,
- Neurolyse des Ganglion Gasseri bzw. der peripheren Trigeminusäste,
- Neurolyse der Nn. intercostales.

Intrathekale Neurolyse

Die intrathekale Neurolyse zur Tumorschmerztherapie ist sehr verbreitet und geht auf die erste Anwendung von Dogliotti (1931) zurück. Die relativ einfache technische Durchführung birgt aber auch die Gefahr der zu häufigen Anwendung bei nicht exakter Indikationsstellung. Insbesondere im lumbalen Bereich sind Komplikationen wie Sphinkterparesen an Darm und Blase und muskuläre Schwächen der unteren Extremität nicht selten. Damit kann eine allgemeine Anwendung in diesem Bereich nur bei Patienten mit Anus praeter und Blasenkatheter empfohlen werden. Die Hauptindikation zur intrathekalen Neurolyse liegt bei segmentalen thorakalen Schmerzen im Bereich von Th$_3$–Th$_{12}$.

Abb. 1. Zur Durchführung der intrathekalen Neurolyse mit hyperbarer Phenollösung muß die zu neurolysierende Hinterwurzel die tiefste Stelle des Körpers sein (Hochlagerung von Beinen und Kopf - sog. Klappmesserhaltung, 45°-Rückenlage; *schwarz* Phenollösung). (Aus: Proceedings of the fourth world congress of anaesthesiologists)

Die intrathekale Neurolyse ist um so wirkungsvoller, je intensiver das Neurolytikum an der jeweiligen Hinterwurzel einwirken und sie dementsprechend zerstören kann. (Eine intrathekale Neurolyse ist daher nicht sinnvoll, wenn die Hinterwurzel von Tumorgewebe befallen ist.) Auch hier ist also eine möglichst exakte Technik nötig. Die zu neurolysierende hintere Wurzel muß bei intrathekalen Neurolysen mit dem hyperbaren Phenol (gelöst in Glyzerin) die tiefste Stelle des Patienten sein. Das heißt, der Patient muß zum einen in einer hinteren Seitenlage von 45° liegen, zum anderen müssen oberes und unteres Ende des Körpers erhöht sein (sog. Klappmesserstellung, Abb. 1). Da diese Lagerung postneurolytisch 30-45 min lang vom Patienten eingehalten werden muß, muß sie vor der Neurolyse in allen Einzelheiten mit dem Patienten besprochen und geübt werden. Unterschiedliche Abpolsterungen und Lagerungskissen sind dafür nötig. Erst, nachdem diese Lagerung probatorisch durchgeführt worden ist, wird die Rückenlagerung von 45° aufgehoben, um die Spinalnadel zu plazieren. Dabei muß sich die Injektionshöhe nicht nach den Wirbelkörpern, sondern nach den Segmenten im Rückenmark orientieren (Abb. 2).

Nachdem Liquor abtropft, wird der Patient wieder in die rückwärtige Lage von 45° gebracht und das Neurolytikum injiziert. Die Kanülenöffnung muß in Richtung hinterer Wurzel gedreht sein, und die Injektion sollte extrem langsam erfolgen (0,1 ml pro min!). Pro Segment werden 0,25-0,5 ml hyperbare, 7,5%ige Phenollösung injiziert. Bei richtiger Kanülenplazierung geben die Patienten ein warmes Gefühl im Schmerzbereich an. Es dürfen nur Glasspritzen und Stahlkanülen verwendet werden.

Bei Verwendung von hypobarer 96%iger Äthanollösung muß die Lagerung des Patienten genau „andersherum" erfolgen, d.h. die zu neurolysierende Hinterwurzel muß die höchste Stelle des Patienten sein. Nicht selten

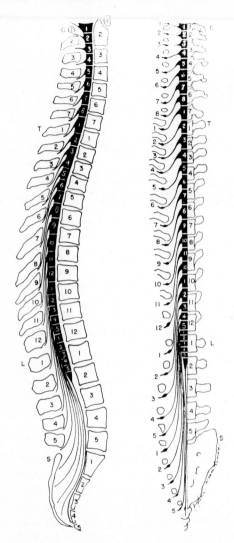

Abb. 2. Die Injektionshöhe zur intrathekalen Neurolyse richtet sich nach den Segmenten im Rückenmark. (Aus Moore 1965)

wird diese Körperhaltung von den Patienten als angenehmer empfunden, da sie nicht auf ihrer schmerzenden Körperregion gelagert werden.

Bei strenger Indikationsstellung bewirkt die intrathekale Neurolyse bei ca. 60% der behandelten Patienten eine gute bis sehr gute Schmerzreduktion, bei ca. 20% tritt eine mäßige Schmerzreduktion ein, weitere 20% der Ergebnisse sind schlecht. Die Angabe der Wirkungszeit schwankt in der Literatur zwischen den Extremangaben von Wochen bis zu Jahren. Eigene Erfahrungen zeigen einen Mittelwert von ca. 4 Monaten. Diese Wirkungszeit ist natürlich abhängig von vielen Faktoren: weiteres infiltratives Wachstum des Karzinoms, exakte Kanülenplazierung und Lagerung, Einhalten der Lagerung usw. In Einzelfällen ist tatsächlich eine Schmerzreduktion über Jahre möglich.

Bei nicht korrekter Indikationsstellung, bei nicht optimaler Technik (Lagerung!) und insbesondere bei Anwendung im lumbalen Bereich kann die intrathekale Neurolyse erhebliche Nebenwirkungen oder Komplikationen haben:

- Sphinkterparese der Blase (3-10%),
- Sphinkterparese des Darms (0-2%),
- muskuläre Parese der unteren Extremität (5-12%).

Weitere seltenere bzw. leichtere Komplikationen sind Harnverhaltung, Taubheit, Mißempfindungen, kurzfristige Kopfschmerzen und Impotenz.

Eine Sonderform der intrathekalen Neurolyse ist der *neurolytische Sattelblock* bei perianalem Schmerz. Der Spinalraum wird in Höhe von L_5/S_1 punktiert, der Patient wird zur Injektion von 96%igem Alkohol so gelagert, daß das kaudale Ende des Durasackes zur höchsten Stelle des Liquorraumes gemacht wird. Daraufhin werden 0,7-1,5 ml Äthanol langsam injiziert. Der Patient muß 1 h in dieser Lagerung verbleiben. - Da als Komplikation dieser Neurolyse im Cauda-equina-Bereich ebenfalls nicht selten eine Blasen- bzw. Darminkontinenz entsteht, ist diese Methode insbesondere bei Patienten mit Anus praeter und Blasenkatheter anwendbar.

Peridurale bzw. kaudale Neurolyse

Die peridurale Neurolyse zeigt insbesondere im Vergleich zur intrathekalen Anwendung im Bereich der Schmerzreduktion deutlich schlechtere und kürzer anhaltende Effekte. Dies liegt u. a. daran, daß spezifische Nervenstrukturen auf peridualem Weg nicht neurolysiert werden können. Eine allgemeine Anwendung bei Patienten mit Tumorschmerzen kann deswegen nicht empfohlen werden. Dies gilt, obwohl die Komplikationsraten geringer und im Falle von Sphinkterparesen auch kürzer anhaltend sind.

Diese allgemeine Ablehnung für peridurale Neurolysen bei Tumorschmerzpatienten gilt nicht für die *Kaudalblockade*. Diese hat - wiederum bei sehr genauer Indikationsstellung - durchaus einen Platz in der Schmerztherapie. Patienten mit Rektumkarzinom und Zustand nach Rektumamputation klagen nicht selten über einen perianalen Schmerz. Dieser Schmerz wird insbesondere deshalb so intensiv empfunden, weil er oft nur eine Ausdehnung bis zur Größe eines 5-Mark-Stücks hat. Führen beidseitige lumbale Sympathikusblockaden (und bei Erfolg chemische Neurolysen) nicht zu einer deutlichen Schmerzreduktion, kann nach erfolgreicher Testblockade mit 0,5%iger Bupivacainlösung zur Ermittlung des richtigen Volumens durch kaudale Injektion von maximal 1,2 ml 7,5%igem Phenol dieser perianale Schmerz beseitigt bzw. zumindest reduziert werden. Bei Beschränkung auf ein Volumen von 1,2 ml wird der Bereich S_1-S_3 nicht geschädigt (sonst wären Sphinkterparesen im Blasen- und Darmbereich unvermeidlich). Der Nachteil dieses sehr einfachen Verfahrens liegt in der häufig sehr kurzen Wirkungsdauer von Tagen bis Wochen (Mittelwert nach eigenen Untersuchungen 3 Wochen). Andererseits kann diese Neurolyse jedoch auch jederzeit ambulant wiederholt werden. Damit die Compliance der Patienten erhalten bleibt, muß natürlich diese meist kurze Wirkungsdauer vor der neurolytischen Kaudalblockade in allen Einzelheiten besprochen werden. – Für diese peridurale Blockade auf kaudalem Zugangsweg liegen mit gleicher Indikation auch vereinzelte positive Berichte zur Schmerztherapie mittels Kryoanalgesie vor.

Neurolyse des Plexus coeliacus

An der ersten Stelle der Wertigkeit der chemischen Neurolyse bei Tumorschmerzpatienten steht zweifelsfrei die Zerstörung der viszeralen Afferenzen im Bereich des Plexus coeliacus bei tumorbedingten Oberbauchschmerzen, bedingt durch maligne Tumoren und Metastasen, insbesondere von Pankreas, Leber, Galle, aber auch Magen, Dickdarm und Nieren! Da gleichzeitig natürlich die Sympathikusefferenzen für den Oberbauch neurolysiert werden, kann es anschließend zu einer Steigerung der Darmperistaltik kommen.

Diese Neurolyse ist außerordentlich effektiv: Bei genauer Indikation und richtigem Zeitpunkt tritt in ca. 85% der Fälle Schmerzfreiheit bei Wirkungszeiten bis hin zu 2 Jahren ein (anschließend kann die Neurolyse wiederholt werden!). Der richtige Zeitpunkt ist bei Unwirksamwerden von peripher wirkenden Monoanalgetika gegeben. *Bevor* also zentral wirkende Analgetika zur Anwendung kommen müssen, sollte bei Vorliegen eines Oberbauchtumorschmerzes die Indikation zur chemischen Neurolyse des Plexus coeliacus gestellt werden.

Unterschiedliche Techniken kommen zur Anwendung:

- beidseitige Kanülenplazierung in Bauchlage des Patienten mit Injektion von je 20 ml Neurolytikum,
- einseitige Kanülenplazierung (bevorzugt von rechts) und Injektion von 40 ml Neurolytikum in Seitenlage des Patienten,

- intraoperative Injektion von hochkonzentriertem Äthanol bei geringem Volumen,
- einseitige transaortale Kanülenplazierung von links und Injektion von 40 ml Neurolytikum in Seitenlage des Patienten,
- Feinnadelpunktion transabdominal in Rückenlage des Patienten und Injektion von 10-20 ml Äthanol,
- Injektion des Neurolytikums über einen vorher gelegten Kunststoffkatheter.

Zur Kontrolle der jeweiligen Technik werden unterschiedliche bildgebende Verfahren angewendet: Röntgenkontrolle durch Bildwandler in 2 Ebenen mit Kontrastmittelgabe, computertomographisch gesteuerte Punktion bei der Technik in Bauch- und Rückenlage, sonographisch gesteuerte Punktion bei der abdominellen Feinnadelpunktionstechnik.

Im folgenden soll über die vom Autor bevorzugte Technik mit einseitiger Punktion und Injektion von 40 ml Neurolytikum in Seitenlage des Patienten berichtet werden.

Es erfolgt die Seitenlagerung des Patienten mit Lagerungskissen unter der Flanke. Bevorzugt soll der Patient auf der linken Seite liegen. Nur bei stark vorrangigen linksseitigen Schmerzen sollte auch die linke Seite bevorzugt neurolysiert werden. Die Einstichstelle befindet sich 7-9 cm paravertebral der Interspinallinie, direkt unterhalb der 12. Rippe (Abb.3). Nach Hautdesinfektion und Setzen einer Hautquaddel wird eine 12-15 cm lange Kanüle in ventraler, medialer und kranialer Richtung auf den Körper des 1. Lendenwirbels zugeschoben (dieser liegt in Projektion ventral in der Mitte zwischen den Dornfortsätzen vom 12. Brustwirbelkörper und 1. Lendenwirbelkörper).

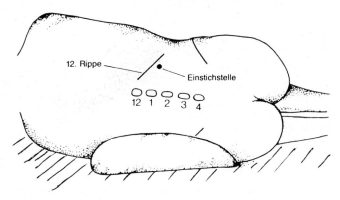

Abb. 3. Seitenlage zur Plexus-coeliacus-Blockade

Nach Knochenkontakt mit dem Wirbelkörper wird die Kanüle nach lateral korrigiert, um gerade daran vorbei zu gleiten. Bei rechtsseitiger Plazierung muß die Kanüle (nach Knochenkontakt) noch ca. 4–4,5 cm weiter vorgeschoben werden. Bei linksseitiger Plazierung (*Cave:* Aorta) darf die Kanüle entweder nur 3 cm vorgeschoben oder es muß die transaortale Technik angewendet werden (der Plexus coeliacus liegt unmittelbar ventral der Aorta!). – Röntgenkontrolle mit Bildwandler: die Kanülenspitze liegt in der a.-p.-Projektion im Bereich des oberen Drittels des 1. LWK, in seitlicher Projektion ca. 2 cm ventral der Wirbelsäule. Jetzt Gabe von 1–2 ml Kontrastmittel, damit vor der Injektion von Äthanol eventuelle Fehllagen bemerkt werden (Abb. 4). Nach sorgfältiger Aspiration in 2 Ebenen: Injektion von 40 ml eines Gemisches aus 50% absolutem Äthanol und 50% 1%iger Mepivacainlösung. Sehr oft berichten die Patienten zu Beginn der Injektion über einen ca. 30–60 s anhaltenden, brennenden Schmerz. Bei ängstlichen Patienten ist nach der Kontrastmittelgabe und vor der Neurolyse die i. v.-Gabe eines Sedativums zu überlegen. – Bei beidseitiger Blockadetechnik in Bauchlage dem-

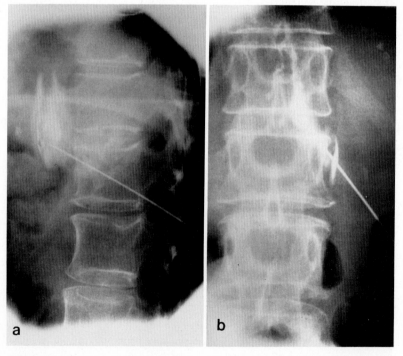

Abb. 4a,b. Injektion von Kontrastmittel vor der Neurolyse des Plexus coeliacus (**a** seitliche Aufnahme, **b** a.-p.-Aufnahme)

entsprechendes Vorgehen mit 2 Kanülen. Es empfiehlt sich dann, beide Kanülen in kraniokaudaler Richtung unterschiedlich zu plazieren (z. B. 1. Kanüle im oberen Drittel des 1. LWK, 2. Kanüle im unteren Drittel des 1. LWK).

Spezielle Kontraindikationen: Hypovolämie, präterminaler Zustand, hohe Opiatdosen bei Schmerzfreiheit.

Relative Kontraindikationen: nicht über die Grundkrankheit aufgeklärter Patient (eine erforderliche Aufklärung über Nebenwirkungen und Komplikationen stößt verständlicherweise auf Unverständnis).

Nebenwirkungen und Komplikationen: Überwärmung im Oberbauchbereich (subjektiv und objektiv – damit gleichzeitig Erfolgskontrolle). Kurzer brennender Schmerz am Anfang der Injektion des Neurolytikums, meist nur leichter Blutdruckabfall. Punktionen der großen Gefäße (Aorta, V. cava, A. coeliaca, A. renalis) sind möglich und bei Verwendung dünner Kanülen folgenlos. Punktionen anderer Organe (Pleura, Peritoneum) sind extrem selten oder (Niere) angeblich häufiger (laut Literatur), aber folgenlos. Auf jeden Fall muß durch vorherige Kontrastmittelgabe und Röntgenkontrolle eine Kanülenfehllage *vor* der Injektion des Neurolytikums festgestellt werden.

Durch die Überwachungstechnik mittels Röntgenbildwandler ist eine durchgehende Kontrolle der Kanülenlage auch während des Vorschiebens möglich. Dies ist der eigentliche Vorteil gegenüber einer CT-kontrollierten Plexus-coeliacus-Blockade, mit der zwar eine genaue vorherige Planung und eine Kontrolle der endgültigen Kanülenlage, aber keine Kontrolle *während* des Vorschiebens der Kanüle möglich ist. Da außerdem ein Röntgenbildwandler in jedem Krankenhaus zur Verfügung steht und oft unabhänigig von der Röntgenabteilung in Eigenverantwortung benutzt werden kann, ist einer weiteren Verbreitung dieser Technik kein Hindernis in den Weg gelegt.

Bei verdrängenden Tumoren im Oberbauch sollten präneurolytisch CT-Bilder zur Planung der Injektion vorliegen. Dann sollte die Durchführung der transaortalen Technik diskutiert werden, weil dadurch die Trefferquote wegen der engen anatomischen Beziehung zwischen Aorta und Plexus coeliacus deutlich erhöht wird.

Neurolyse im Bereich des lumbalen Sympathikus

Neurolysen des lumbalen Sympathikus (und damit die Zerstörung der dort verlaufenden viszeralen Afferenzen) führen beim Karzinomschmerz als Monotherapie nur selten zu einer ausreichenden Schmerzreduktion. Die Ursache liegt wohl in den mannigfaltigen nervalen Querverbindungen im

Beckenbereich. Neurolysen in diesem Bereich reduzieren jedoch häufig den Schmerz auf einen Restschmerz von ca. 30–50 % im Vergleich zum Ausgangsschmerz. Da die chemische Neurolyse des lumbalen Sympathikus als Monotherapie praktisch nicht eingesetzt wird, kann eine Aussage über die Wirkungszeit nicht gemacht werden. Nach der Neurolyse sind weitere Therapien (z. B. mit oralen Analgetika) besser wirksam und oft ausreichend.

Wegen der unterschiedlichen Wirkung und des oft nicht sicher einschätzbaren Erfolges empfiehlt sich vor neurolytischer Zerstörung des lumbalen Sympathikus grundsätzlich eine Testblockade mit gleicher Dosis, gleicher Konzentration und gleicher Technik (also auch mit Bildwandlerkontrolle und Kontrastmittelgabe).

Indikationen sind schwer beherrschbare Schmerzzustände im Bereich der unteren Bauch- und Beckenorgane. Im Beinbereich sind insbesondere oberflächliche (nicht segmentale) Schmerzen behandelbar. Durch beidseitige lumbale Sympathikusneurolysen ist auch der schon erwähnte perianale Schmerz reduzierbar. – Bei Lymphödemen ist unbedingt durch eine vorherige Testblockade mit anschließender kontinuierlicher Beinumfangsmessung die Frage zu beantworten, ob evtl. durch Verstärkung des arteriellen Zuflusses das Lymphödem zunimmt. Dann ist eine Neurolyse kontraindiziert.

In Seitenlagerung, mit Lagerungskissen unter der Flanke, wird die Wirbelsäule parallel zum Operationstisch dargestellt. Die Einstichstellen liegen 6–7 cm paravertebral der Interspinallinie in der Mitte zwischen Beckenkamm und 12. Rippe. Nach Hautdesinfektion und Setzen einer Hautquaddel wird eine 12 cm lange, stabile Kanüle in medioventraler Richtung von 80° auf den 2. LWK zugeschoben. Falls es zum Knochenkontakt in 2–3 cm Tiefe kommt (Querfortsatz), wird die Kanülenrichtung nach kranial oder kaudal korrigiert. Auch bei starker Schmerzäußerung („blitzartige" Schmerzen, ausstrahlend zum Bein), bedingt durch Irritation einer somatischen Nervenwurzel, muß die Stichrichtung etwas nach kaudal oder kranial verändert werden. Nach Auftreffen der Kanüle auf den Wirbelkörper in ca. 6–8 cm Tiefe wird die Kanüle um 1–2 cm zurückgezogen und die Kanülenspitze zum lateralen Vorbeigleiten „angehoben". Eine sorgfältige Aspirationskontrolle in 2 Ebenen ist nötig. Die Injektion des Lokalanästhetikums muß ohne Widerstand möglich sein. Zur neurolytischen Blockade empfiehlt sich die Einführung von 2–3 Kanülen in Höhe von L_2–L_4 unter Röntgenbildwandlerkontrolle. Die Kanülenspitzen projizieren sich bei richtiger Lage in der a.-p.- und seitlichen Ebene jeweils auf den Rand im Bereich der Mitte der Wirbelkörper. Zum Beweis der richtigen Kanülenlage ist vor der Neurolyse die Gabe von 0,5–1 ml Kontrastmittel pro Kanüle unbedingt erforderlich. Das Kontrastmittel muß in beiden Ebenen strichförmig *parallel* der Wirbelsäule laufen. Kommt in der a.-p.-Projektion ein etwas nach lateral-kaudal gerichteter Kontrastmittelverlauf zur Darstellung, liegt die Kanülenspitze im Bereich des

M. psoas. Pro Kanüle werden 1,5–2 ml 96%iges Äthanol oder 7,5%iges wäß-
riges Phenol injiziert. Äthanol soll den Vorteil der längeren Wirkungszeit
gegenüber Phenol, jedoch den Nachteil der größeren Komplikationrate
haben. Meistens sind beidseitige chemische Neurolysen erforderlich.
Der Nervenblockadeeffekt kann durch Messen der Hautoberflächentem-
peratur, des psychogalvanischen Reflexes und durch den Ninhydrintest beurteilt werden.
An Komplikationen sind Verletzungen anderer Organe (z. B. Niere) und
eine sog. Alkoholneuritis im Bereich der paravertebralen Nerven (z. B.
N. genitofemoralis – verläuft im M. psoas!) zu nennen. Intravasale, peridurale
oder intrathekale Neurolytikainjektionen müssen durch Kontrastmittelgabe
und Bildwandlerkontrolle vermieden werden können (vgl. Abschnitt über die
chemische Neurolyse des Plexus coeliacus).

Neurolyse im Bereich des Ganglion stellatum
bzw. des thorakalen Sympathikus

Neurolysen im Bereich des zervikalen Grenzstranges könnten z. B. zur Therapie von Schmerzen beim Lymphödem der oberen Extremität als Folge eines
Mammakarzinoms oft sehr hilfreich sein. Leider sind diese Nervenblockaden
technisch extrem schwierig, da eine genaue Kanülenplazierung ausschließlich im Bereich des Ganglion stellatum kaum gesichert werden kann. Kom-
plikationsreiche nervale Strukturen sind sehr nahe (Plexus brachialis,
N. laryngeus etc.). Chemische Neurolysen in diesem Bereich sollten nicht
durchgeführt werden. Eventuell kann diskutiert werden, ob durch eine endoskopisch-chirurgische Durchtrennung des Sympathikus in Höhe von Th_2 eine
Schmerzreduktion möglich ist.
Neurolysen im Bereich des thorakalen Sympathikus sind zwar technisch
nicht ganz so schwierig, werden jedoch wegen fehlender Indikation sehr selten durchgeführt.

Neurolyse des Ganglion Gasseri
und der peripheren Trigeminusäste

Bei Tumoren im Gesichtsbereich sind Neurolysen des Ganglion Gasseri bzw.
der peripheren Trigeminusäste theoretisch sehr gut geeignet, den Schmerz zu
reduzieren, und sollten – wenn möglich – durchgeführt werden. Häufig ist
dies wegen eines Tumorwachstums im Punktionsbereich technisch unmöglich. Außerdem hält sich ein infiltrierend wachsender Tumor natürlich nicht
an die nervale Ausbreitung der Trigeminusäste, und damit wäre eine

Schmerzreduktion in diesem Bereich allenfalls eine Schmerzgebietsverkleinerung und bei gleichbleibender Intensität für den Patienten nur von geringem Wert. Durch die geringere Komplikationsrate wäre auch – wenn möglich – einer Thermokoagulation der Vorzug zu geben. Als Neurolytikum wird hier üblicherweise 96%iges Äthanol verwendet. Die Wirkungsdauer liegt bei 6–18 Monaten.

Neurolyse der Nervi intercostales

Die Neurolyse eines (oder mehrerer) Interkostalnerven ist technisch relativ einfach und z.B. bei wirbelsäulenfernen Metastasen der Rippen und daraus bedingter Schmerzsymptomatik sehr wirkungsvoll.

Nach vorheriger Testblockade mit einem Lokalanästhetikum palpiert man mit 2 Fingern in der hinteren Axillarlinie eine Rippe, schiebt die Haut nach oben, punktiert mit einer 3 cm langen, dünnen Kanüle auf die Rippe, läßt die Haut wieder nach kaudal gleiten (gemeinsam mit der Kanüle) und sticht ca. 0,5–0,7 cm tiefer an der Rippe vorbei. Nach Aspiration in 2 Ebenen injiziert man 1–1,5 ml konzentrierten Alkohol. Die Wirkungszeit liegt bei 2–4 Monaten; im Bedarfsfall kann die Neurolyse wiederholt werden.

In ca. 10–20% der Fälle tritt als Komplikation eine sog. Alkoholneuritis (ein postneurolytisch entstehender Brennschmerz im Ausbreitungsgebiet der Nn. intercostales) auf. Sollte diese Komplikation auftreten, kann sie durch eine zentrale Neurolyse (intrathekale Neurolyse) in demselben Segment behoben werden.

Als relative Kontraindikationen wären zum einen die Schmerzausdehnung über mehr als 3 Segmente, zum anderen eine extreme Ruhedyspnoe zu nennen. Komplikation der Interkostalneurolyse ist neben der Alkoholneuritis der Pneumothorax.

Literatur

Bonica JJ (1982) Management of cancer pain. Anaesthesist 31: 636–637
Bridenbaugh LD, Moore DC, Campell DD (1964) Management of upper abdominal cancer pain. JAMA 190: 877–880
Dogliotti AM (1931) Nouvelle méthode thérapeutique pour les algies périphérique. Injection d'alcool dans l'espace sous arachnoidien. Rev Neurol (Paris) II/4: 485–487
Gerbershagen HU (1981) Neurolysis. Subarachnoid neurolytic blockade. Acta Anaesthesiol Belg 1: 45–57
Greiner L, Ulatowski L, Prohm P (1983) Sonographisch gezielte und intraoperative Alkoholblockade der Coeliacalganglien bei konservativ nicht beherrschbaren Malignom-bedingten Oberbauchschmerzen. Ultraschall 4: 57–69

Hankemeier U (1986) Neurolytische Plexus-coeliacus-Blockaden zur Schmerztherapie beim Oberbauchkarzinom. Vorteile der einseitigen Punktionstechnik in Seitenlage. In: Sehhati-Chafai C (Hrsg) Krebsschmerz-Gesichtsschmerz. Winkler, Bochum (Reihe: Schmerzdiagnostik und -therapie, Bd. 2)

Hankemeier U (1986) Sympathikusblockaden. In: Astra Chemicals (Hrsg) Regionalanästhesie, 3. Aufl. Fischer, Stuttgart New York

Hankemeier U, Czorny-Rütten M (1987) Lumbale Sympathikusneurolyse - Teil eines Therapiekonzeptes bei Karzinomschmerzen. Zentraleuropäischer Anästhesie-Kongreß, München, 15.-19.10. 1987 (Abstractband)

Hildebrand J, Hankemeier U (1988) Schmerztherapie. In: Hollender LF, Peiper H-J (Hrsg) Pankreaschirurgie. Springer Berlin Heidelberg New York Tokyo

Ischia S, Luzzani A, Ischia A, Faggion S (1983) A new approach to the neurolytic block of the coeliac plexus: the transaortic technique. Pain 16: 333-341

Mehta M (1973) Spinal analgesia. In: Mehta M (ed) Intractable pain. Saunders, London, pp 172-190

Moore DC (1965) Regional block, 4th edn. Thomas, Springfield/IL

Moore DC, Bush WH, Burnett LL (1981) Celiac plexus block: a roentgenographic, anatomic study of technique and spread of solution in patients and corses. Anesth Analg 60: 369-379

Nathan PW, Scott TG (1958) Intrathecal phenol for intractable pain: Safety and dangers of the method. Lancet I: 76-80

Nathan PW, Sears TA (1960) Effects of phenol on nervous conductions. J Physiol (Lond) 150: 565-580

Papo J, Visca A (1979) Phenol subarachnoid rhizotomy for the treatment of cancer pain: a personal account on 290 cases. In: Bonica JJ, Ventafridda V (eds) Advances in pain research and therapy, vol 2. Raven, New York, pp 339-346

Rohde J, Hankemeier U (1987) Neurolytic caudal blocks for the relief of peri-anal cancer pain. 5th World Congress on Pain, Hamburg, 02.-07.08. 1987 (Abstractband)

Schild H, Günther R, Hoffmann J, Gödecke R (1983) CT-gesteuerte Blockaden des Plexus coeliacus mit ventralem Zugang. Fortschr Röntgenstr. 139/2: 202-205

Swerdlow M (1973) Intrathecal chlorocresol. A comparison with phenol in the treatment of intractable pain. Anaesthesia 28: 297-301

Swerdlow M (ed) (1978) Relief of intractable pain. Excerpta Medica, Amsterdam London New York

Swerdlow M (1979) Subarachnoid and extradural neurolytic blocks. In: Bonica JJ, Ventafridda (eds) Advances in pain research and therapy, vol 2. Raven, New York, pp 325-337

Thompson GE, Moore DC, Bridenbaugh LD, Artin RY (1977) Abdominal pain and alcohol celiac plexus nerve block. Anesth Analg 56- 1-5

Ward EM, Rorie DK, Nauss LE, Bahn RC (1979) The celiac ganglia in man: normal anatomic variations. Anesth Analg 58: 461-465

Wood KM (1978) The use of phenol as a neurolytic agent: a review. Pain 5: 205

Rückenmarknahe Applikation von analgetisch wirkenden Substanzen

I. Bowdler

Rückenmarknahe Opiatanalgesie

Grundlage

Nicht alle Tumorschmerzen können mit den bisher vorgestellten Methoden zufriedenstellend beherrscht werden. Liegen diffuse protopathische Schmerzen ab segmentaler Höhe Th_1 vor (unter Dosiseinschränkung auch in zervikaler Höhe), so stellt die rückenmarknahe Applikation eines Opiats eine wirksame Alternative dar.

Wirkungsmechanismus

Spinale Ebene: Die peridurale oder intrathekale Gabe eines Opiats führt durch eine direkte Wirkung im Bereich der schmerzleitenden Synapsen der Laminae I–IV des Rückenmarkhinterhorns zu einer stärkeren analgetischen Wirkung, als mit der enteralen oder intravenösen Gabe der gleichen Dosis erzielt werden könnte. Mit diesem Verfahren werden die verschiedenen schmerzleitenden Bahnen nicht in gleichem Maße gehemmt. In erster Linie sind die Bahnen betroffen, die dumpfe, diffuse protopathische Schmerzen leiten. Somit eignet sich dieses Verfahren für Schmerzen, die durch einen Tumorbefall von Knochen und Periost oder von Weichteilen hervorgerufen werden. Die gut lokalisierbaren, epikritischen Schmerzen, die mit einem neurogen schmerzauslösenden Mechanismus einhergehen, lassen sich mit dieser Therapieart häufig nicht beheben.

Peridural applizierte Medikamente erreichen den Liquorraum nach Diffusion durch die Dura und/oder Passage durch die Arachnoideagranulationen. Je kleiner das Molekulargewicht ist, desto größer ist die Durapermeabilität. Durch diese Umgehung der Blut-Hirn-Schranke erreichen die Opiate bei der periduralen Applikation Liquor-Serum-Konzentrationsquotienten von 50:1 bis 200:1, nach intrathekaler Applikation von 1000:1 bis 50000:1.

Zentrale Ebene: Die Hoffnung, daß durch diese Methode nur spinale Opiatrezeptoren aktiviert werden, hat sich leider nicht erfüllt. Ein Teil des peridural applizierten Opiats diffundiert in den epiduralen Venenplexus und erreicht über die systemische Zirkulation die schmerzmodulierenden Zentren im Hirnstamm. Ein weiterer Anteil des rückenmarknah applizierten Opiats wird mit dem Liquorfluß rostral transportiert. Diese beiden Komponenten sind Ursache der zentral bedingten Nebenwirkungen wie Übelkeit, Erbrechen und Atemdepression. In welchem Ausmaß diese Komponente die spinal hervorgerufene Analgesie potenziert, ist nicht geklärt. Tierexperimentelle Untersuchungen deuten auf eine solche Potenzierung hin. Die Geschwindigkeit des rostralen Abtransports im Liquor variiert u. a. mit der Art, der Menge und dem Volumen des applizierten Opiats, der segmentalen Höhe der Applikation und mit der Größe und Körperlage des Patienten. Nach lumbaler Injektion erreicht beispielsweise das peridural applizierte Morphin die zervikalen Segmente nach etwa 3 h, die basalen Zisternen nach etwa 6 h.

Wirkungsdauer

Nach Erreichen des Liquorraumes bestimmt die Lipidlöslichkeit des Opiats die Penetrationsgeschwindigkeit in, aber auch wieder aus dem Rückenmark. Für die Wirkungsdauer mitbestimmend ist auch die Affinität zum Opiatrezeptor. Ein ideales Opiat für die rückenmarknahe Analgesie mit niedrigem Molekulargewicht, hoher Lipidlöslichkeit, hoher Affinität und hoher Selektivität zu denjenigen Opiatrezeptoren, deren Aktivierung schmerzhemmend wirkt (κ-Rezeptoren), existiert bisher nicht. Bewährt hat sich Morphin, mit dem auch die meisten Erfahrungen vorliegen.

Erprobte Techniken

1) *Periduralkatheter (PDK) – Perkutan gelegter Periduralkatheter:* Bei voraussichtlicher Liegedauer von mehr als 2 Tagen sollte zur Verminderung eines von der Haut ausgehenden Infekts der Katheter für die Länge von 1–2 Tuohy-Nadeln untertunnelt werden. Die Medikamentenapplikation erfolgt über einen Filter entweder als Bolusgabe oder über eine externe Pumpe. Abhängig vom Zustand des Patienten kann die kontinuierliche Gabe mit herkömmlichen Perfusoren oder mit tragbaren Pumpen geschehen.

2) *Portsysteme:* Hierbei handelt es sich um voll implantierte peridurale oder intrathekale Katheter, die mit einem ebenfalls implantierten Port (Verbindungskammer) konnektiert sind (Abb. 1). Unter der Anwendung einer Spezialschliffnadel (Huber-Nadel) kann das Analgetikum bolusweise injiziert oder mittels einer externen Pumpe kontinuierlich appliziert werden.

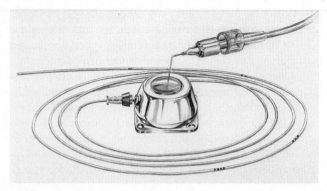

Abb. 1. Portsystem vom Typ Port-a-cath, Fa. Pharmacia, mit Zufuhr über eine um 90°
gebogene Huber-Nadel und Verbindung zu einem Periduralkatheter aus Silastic

3) Implantierbare Pumpsysteme: Bei diesem Verfahren werden sowohl der
Katheter, der peridural oder intrathekal liegen kann, als auch eine kleine
Pumpe implantiert. Die Reservoirfunktion der Pumpe erlaubt je nach
Medikamentenbedarf eine Auffüllung in Abständen von 2–3 Wochen.

Indikationen

1) Insuffiziente Schmerzkontrolle unter einer dosis- und zeitgerechten Einnahme von enteral applizierten Analgetika, peripher wirkendem
Analgetikum + Opiat ± Psychopharmaka bzw. sonst indizierten Maßnahmen.

2) Therapieresistente Nebenwirkungen bei der enteralen Opiateinnahme. Eine
hartnäckige Übelkeit oder Obstipation kann manchmal trotz guter
Schmerzkontrolle die Lebensqualität des Patienten so weit herabsetzen,
daß auf eine peridurale Opiatanalgesie übergegangen werden muß.

3) Als zeitüberbrückende Maßnahme bis zur Durchführung einer definitiven
Behandlung, wie z. B. einer Blockade des Plexus coeliacus oder einer
Chordotomie; aber auch dann, wenn bei insuffizienter Schmerzkontrolle
unter der enteralen Opiatgabe diese Maßnahmen in der späten, terminalen
Phase der Erkrankung nicht mehr durchführbar sind.

Faktoren, die mitberücksichtigt werden müssen

1) In der Überlegung, welche Art der Langzeitversorgung für den individuellen Tumorschmerzpatienten, insbesondere für den ambulanten Patienten,
passend ist, darf nicht nur die Schmerzintensität und Schmerzart berück-

sichtigt werden, sondern auch die *allgemeine Lebensqualität* sowie die familiäre und soziale Lage. Aus dieser Sicht kann vom einzelnen Patienten die orale Medikamenteneinnahme auch bei inkompletter Analgesie gegenüber der rückenmarknahen Opiatgabe bevorzugt werden.

2) Ein rückenmarknah gelegter Katheter bzw. Port- oder Pumpsystem bringt unweigerlich die Notwendigkeit einer *speziellen Pflege* mit sich. Das soziale Umfeld des Patienten, die Mitwirkung der Sozialstationen und des Hausarztes bei der Versorgung implantierter Pumpen, auch der Transportweg in die Klinik, müssen berücksichtigt werden.

3) Es muß Klarheit herrschen über die *anatomischen Verhältnisse im Spinalkanal:* Eine Einengung des Rückenmarkkanals, beispielsweise durch Tumormassen oder infolge eines osteolytischen Wirbelkörperzerfalls, schränkt u. U. die Verteilung des injizierten Medikaments und somit auch die Qualität der Analgesie ein. Vermutlich durch einen raschen Druckanstieg im Liquorraum, selbst bei Gabe geringer Volumina, kann unter diesen Bedingungen eine Bolusgabe sehr schmerzhaft sein.

Kontraindikationen

Grundsätzlich gelten dieselben Kontraindikationen wie für die perioperative Analgesie mit Periduralketheter. Bei unserem speziellen Patientengut müssen jedoch Einschränkungen in Kauf genommen werden, wenn keine wirksame Alternative zur Verfügung steht. Besonders in der Endphase einer Tumorerkrankung liegt oftmals ein Multiorganversagen vor und hier muß individuell eine Nutzen-Risiko-Abwägung gezogen werden.

Folgende Kontraindikationen und Ausweichmöglichkeiten sind zu beachten:

Kontraindikationen	*Ausweichmöglichkeiten bei fehlenden Alternativmethoden*
Oberflächlicher oder tiefer Infekt, Hautirritation nach Bestrahlung	Je nach Ausdehnung Ausweichen aus dem betroffenen Bereich, ggf. Verzicht auf diese Methode
Gerinnungsstörungen	Normalisierung durch Substitution der Gerinnungsfaktoren
Schwerer Allgemeininfekt	Intravenöse Medikamentengabe
Allergie auf Opioide	Evtl. Therapieversuch mit Ketamin (kontrollierte Studien stehen noch aus)
Relative Kontraindikationen Tumorunabhängige Lumbalgien und Lumboischialgien; neurologische Reiz- und Ausfallserscheinungen	Aus forensischen Gründen Krankheitsverlauf und Anwendung mit dem Patienten diskutieren

Methodenauswahl (Tabelle 1)

1) Die *Single-shot-Gabe* ist für die Therapie der meist konstant vorhandenen Schmerzen bei Tumorleiden ungeeignet.

2) Die *Bolusgabe* eines Opiats hat Vorteile bei der Initialeinstellung der Schmerzen, da, wie bei der oralen Medikamenteneinstellung, die notwendige Dosierung individuell angepaßt werden muß. Die Fortsetzung der Bolusapplikation hat den Vorteil, daß Patienten mit einem implantierten subkutan gelegenen Port durch die intermittierende Applikation unabhängig von dem Tragen einer externen Pumpe bleiben.

3) Analog zur intermittierenden parenteralen Medikamentengabe führt die Bolusapplikation zu starken Schwankungen der Opiatkonzentration im Liquor und Serum. Ein gleichbleibender Wirkungsspiegel kann nur mit der *kontinuierlichen Gabe* erreicht werden, die initial über ein Perfusorsystem mit einer, nach Ermittlung der Dosis, intern oder extern getragenen Pumpe erfolgen kann. Ob bei dieser Applikationsart die Toleranzentwicklung geringer ist als bei der Bolusgabe, bleibt derzeit offen.

Tabelle 1. Anhaltspunkte für die Auswahl der Applikationsart bei gesicherter Indikation zur rückenmarknahen Analgesie

Krankheitsstadium	Katheterlage	Applikationsart
Akut auftretende, fehlende Schmerzkontrolle mit Unruhe und Agitiertheit	Extern geleiteter Periduralkatheter	Bolus oder externes Pumpsystem
Lebenserwartung < 3 Monate	Extern geleiteter Periduralkatheter mit Untertunnelung	Bolus oder externes Pumpsystem
Lebenserwartung 3 Monate bis < 6 Monate	a) Probephase von 4–6 Tagen mit extern geleitetem Periduralkatheter b) Implantation eines periduralen/intrathekalen Katheters und Portsystems	a) Bolusgabe oder externe, tragbare Pumpe b) Bolusgabe oder Anschluß an eine extern tragbare Pumpe jeweils mittels Huber-Nadeln
Lebenserwartung ≥ 6 Monate	a) Probephase von 4–6 Tagen mit extern geleitetem Periduralkatheter b) Implantation eines internen Pumpsystems	a) Bolusgabe oder externe, tragbare Pumpe b) 2- bis 3wöchentliche Füllung der Pumpe

Kathetertechniken

Ist die Indikation für eine rückenmarknahe Analgesie gestellt, so erfolgt zunächst eine Probephase mit einem extern gelegten Katheter.

Zusammenfassung der Techniken

1) Periduralkatheter: Die Ausbreitung der Analgesie verläuft segmental, es wird daher zunächst die segmentale Höhe des Zugangs ausgewählt, die im Mittelpunkt des Schmerzareals oder knapp unterhalb (rostraler Liquorfluß) liegen sollte. Prinzipiell muß der Kreislauf kontinuierlich überwacht und wegen des möglichen Blutdruckabfalls eine intravenöse Infusion angelegt werden.

Nach Desinfektion und steriler Abdeckung: Infiltration des subkutanen Fettgewebes und des Ligamentum interspinosum. Aufsuchen des Periduralraumes mit einer 18-G.-Tuohy-Nadel. Im Gegensatz zur Katheterplazierung bei der geburtshilflichen und perioperativen Periduralanalgesie wird der Katheter im Periduralraum langsam um ca. 4–5 cm vorgeschoben (*Cave:* Wurzelirritation!). Die Erfahrung zeigt, daß es sonst allein als Folge der Körperbewegung bei diesem nichtoperativen Patientengut gehäuft zu Katheterdislokationen kommt. Katheterplazierung mit Testdosis eines Lokalanästhetikums überprüfen. Die perkutane Untertunnelung ist i. allg. anzustreben. Katheteraustrittsstelle wird mit Polyvidon-Jod-Salbe versorgt. Annähen oder gute Fixierung mit Pflaster. Zur Kontrolle der Katheteraustrittstelle aus der Haut hat sich die Abdeckung mit einer Klarsichtfolie bewährt (Abb. 2).

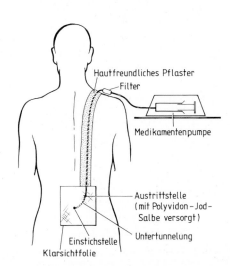

Abb. 2. Versorgung eines untertunnelten, extern gelegten Periduralkatheters

2) Implantierbare Kathetersysteme: Hat sich während der Probephase der peridurale Applikationsweg bewährt, so kommt die Implantation eines subkutanen Ports oder Pumpsystems in Frage. Diese Systeme haben gegenüber extern abgeleiteten Systemen verschiedene Vorteile; das Infektrisiko ist geringer, Bewegung und Alltagstätigkeiten wie Baden und Duschen sind nicht eingeschränkt. Bei einer supportiven und fachgerechten Versorgung mit Unterstützung der Sozialstation und Familie des Patienten kann eine ambulante Versorgung von guter Qualität größtenteils unabhängig von einer ärztlichen Versorgung erreicht werden.

a) Portsysteme (Abb. 3): Diese Maßnahme ist dann indiziert, wenn nach positiver Testphase und voraussehbarer Lebenserwartung von mindestens 3 Monaten die Implantation eine ambulante Versorgung erlaubt (Tabelle 1). Die Kosten eines Systems liegen je nach Fabrikat bei etwa DM 500,- bis 1000,-.

Portsysteme bestehen aus einer subkutan implantierten Verbindungskammer (Reservoir), die mit dem Periduralkatheter konnektiert ist. Mit Spezialschliffnadeln (22-24 G.; Abb. 4) kann die selbstabdichtende Silikonmembran des Reservoirs mehrere 100mal punktiert werden. Ergebnisse aus letzter Zeit deuten darauf hin, daß bei der Anwendung von Nadeln des Typs Surecan (Fa. Braun, Melsungen) die Gefahr des Ausstanzens eines Membranteils geringer ist als mit den konventionellen Huber-Nadeln. Zur Schonung des Membranteils sollte die Punktion nicht stets in dessen Mitte, sondern auch in

Abb. 3. Querschnitt durch ein Portsystem mit Surecan-Nadel

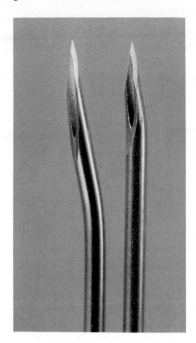

Abb. 4. Vergleichende Darstellung verschiedener Nadelarten vom Typ Huber (li.) und Surecan (re.)

der Peripherie (um die Uhr herum) stattfinden. Nach entsprechendem Training kann die Punktion durch den Patienten selbst, durch einen seiner Familienangehörigen oder durch die Sozialstation durchgeführt werden.

Portsysteme sind klein ($1 \times 3 \times 1{,}5$ cm) und werden, außer bei sehr kachektischen Patienten, kaum als störend empfunden. Bei der Implantation muß auf eine lockere subkutane Katheterplazierung geachtet werden, insbesondere in der Nähe der Anschlußstelle am Port, um Katheterabknickungen zu vermeiden. Intraoperativ sollte zur Kontrolle der Katheterlage eine Epidurogramm mit Solutrast M 200 oder einem ähnlichen Kontrastmittel durchgeführt werden. Eine anschließende Durchspülung mit Kochsalzlösung muß unbedingt durchgeführt werden. Zur Erleichterung der Injektion in den Port muß dieser auf einer festen Unterlage, z. B. im Bereich der unteren Rippen, fixiert werden.

In der Regel kann bei kooperativen und psychisch ausgeglichenen Patienten die Implantation in Lokalanästhesie erfolgen oder, unter Anwendung des liegenden Periduralkatheters, in Regionalanästhesie. Eine Allgemeinanästhesie kann notwendig sein, wenn der Patient ängstlich oder wenig kooperativ ist oder wenn die Lagerung zu schmerzhaft ist und ein Periduralkatheter noch nicht liegt.

Es ist sowohl eine intermittierende Bolus- als auch eine kontinuierliche Gabe durch Anschluß an kleine tragbare externe Pumpen möglich. In der späteren Versorgung erfolgt die Bolusgabe über gerade Surecan- oder Huber-Nadeln; extern getragene Pumpen können über eine um 90° gebogene Nadel mit dem Port verbunden werden.

b) Pumpsysteme: Die Implantation eines Pumpsystems kommt nur bei Patienten mit einer Lebenserwartung von mehr als 6 Monaten in Frage. Diese Einschränkung ist einerseits durch die hohen Kosten solcher nicht wiederverwendbaren Systeme (DM 8000,- bis DM 10000,-) bedingt, andererseits durch das etwas größere Ausmaß des Eingriffs, der zur Plazierung der Pumpe notwendig ist.

Die Größe der Pumpe wird durch das Reservoirvolumen bestimmt. Die Pumpe vom Typ Infusaid der Fa. Fresenius (Abb. 5) wird derzeit häufig verwendet. Als Energiequelle enthält diese Pumpe ein inertes 2-Phasen-Gasgemisch, das bei Körpertemperatur Druck auf die davon getrennte medikamentenhaltige Kammer ausübt und somit das Medikament durch den Katheter drückt. Durch Komprimierung dieses 2-Phasen-Gemischs läßt sich diese Pumpenart bei der perkutanen Füllung reaktivieren.

Je nach Typ können bis zu 47 ml in der Pumpe deponiert und über 2-3 Wochen kontinuierlich appliziert werden. Somit ist der Patient über längere Zeitintervalle unabhängig von einer medizinischen Nachsorge. Nachteilig ist, daß die Dosierung nur durch die Konzentration des injizierten Medikaments variierbar ist. Je nach vorhergesehenem Bedarf wird vom Hersteller die Flußrate eingestellt. Diese Applikationsgeschwindigkeit, die zwischen 2,2 und 4,0 ml pro Tag gewählt werden kann, kann bei einer implantierten Pumpe nicht geändert werden. Nur beim Modell Infusaid 400 (Fa. Fresenius) ist eine zusätzliche Bolusgabe möglich. Änderungen des Kammerdrucks und somit der Applikationsrate können durch Temperaturschwankungen (Fieber, heißes Baden) verursacht werden, sind aber klinisch nicht relevant.

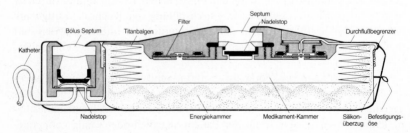

Abb. 5. Querschnitt und Größenausmaß einer Reservoirpumpe vom Typ Infusaid, Modell 400, Fa. Fresenius

Kleinere, durch Federdruck betriebene Pumpen (Cordis Secor) eignen sich aufgrund des geringeren Reservoirvolumens (10–12,5 ml) eher für die intraventrikuläre und intrathekale als für die peridurale Opiatapplikation. Implantierbare elektronische Rollerpumpen, die telemetrisch programmierbar sind, befinden sich derzeit in der Entwicklung.

Extern tragbare Pumpen

In der Probephase der Behandlung, während der Patient einen extern gelegten Periduralkatheter hat, aber auch für die Langzeitbehandlung von Patienten, die einen implantierten Port tragen, erlaubt die Anwendung von kleinen, extern tragbaren Pumpen eine vollständige Mobilisierung trotz kontinuierlicher Opiatapplikation. Verschiedene batteriebetriebene Rollerpumpen und Kolbenpumpen befinden sich auf dem Markt, z. B. die Deltec Cadd-1 und die Deltec PCA (Abb. 6). Die Flexibilität der Konzentrationseingaben und der Flußraten und die Möglichkeit, daß der Patient sich eine Bolusgabe von

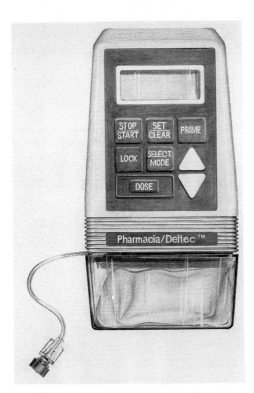

Abb. 6. Extern tragbare Pumpe vom Typ Deltec PCA. Außenmaße: ca. 16 cm hoch und 9 cm breit

vorprogrammierter Höhe applizieren kann, sind die Hauptvorteile des Del-
tec-Systems gegenüber den bisherigen Produkten. Extern tragbare Pumpen
haben aus finanzieller Sicht den Vorteil, daß sie wieder verwendbar sind.

Opiatauswahl und Dosierung (Tabelle 2)

Abgesehen von Opium und Piritramid (Dipidolor), die infolge Veränderungen des Liquor-pH zu einem Eiweißausfall führen, können prinzipiell alle
Opiate peridural appliziert werden. Morphin und Buprenorphin (Temgesic)
sind vorwiegend bei dieser Therapieart angewendet worden; die meisten
Erfahrungen liegen mit der Gabe von Morphin vor. Die höhere Lipidlöslichkeit und Rezeptoraffinität von Buprenorphin im Vergleich zu Morphin
weckte die Hoffnung, daß mit diesem Opioid die analgetische Wirkung und
deren Dauer günstiger sein würden. Dies hat sich in der Praxis nicht bestätigt. Im Vergleich zu Morphin wird durch die peridurale Gabe von Buprenorphin eine nur geringe Dosisreduktion im Vergleich zur intravenösen Applikation erreicht. Nachteil des Buprenorphins ist, daß aufgrund der hohen
Rezeptoraffinität die Wirkung mit Naloxon nicht antagonisiert werden kann.

Dosierung und Applikationsintervall sind individuell festzulegen. Die in
Tabelle 1 dargestellten Daten sind als richtungsweisend zu verstehen; der
vorherige Opiatbedarf muß bei der Dosisfindung berücksichtigt werden,
wobei der Bedarf opiatnaiver Patienten grundsätzlich zunächst als unterer

Tabelle 2. Dosierungshinweise für die rückenmarknahe und intraventrikuläre Bolusapplikation von Morphin bzw. Buprenorphin

Medikament	Bolusdosis	Wirkungs-dauer
Morphin peridural		
– initial	3–5 mg	12 h (1–96 h)
– terminal	bis zu 50 mg[a]	
Buprenorphin peridural		
– initial	0,15–0,3 mg	12 h (2–72 h)
– terminal	bis zu 1,8 mg[a]	
Morphin intrathekal		
– initial	1–2 mg	12 h (1–4 h)
– terminal	bis zu 10 mg	
Morphin intraventrikulär		
– initial	0,3 mg	24 h (8–48 h)
– terminal	1 mg	

[a] In Einzelfällen auch höhere Dosierungen.

Durchschnitt eingeschätzt werden sollte. Bei Berücksichtigung einer individuell angepaßten Dosierung ist über klinisch relevante Atemdepressionen bei Tumorschmerzpatienten nicht berichtet worden.

Verdünnungslösungen und Mengen

Bei der Auswahl der Volumenmenge müssen 2 gegensätzliche Aspekte berücksichtigt werden: Durch Zunahme des applizierten Volumens wird die segmentale Ausbreitung des Opiats unterstützt, andererseits steigt dadurch die Gefahr einer Atemdepression, insbesondere bei gleichzeitiger Gabe eines Benzodiazepins. Für die tägliche Praxis hat sich die Verdünnung von Morphin bzw. Buprenorphin mit 7,5-10 ml 0,9%iger Kochsalzlösung bewährt. Die Stabilität dieser Mischungen sowohl bei Körpertemperatur als auch im Kühlschrank (Vorratsspritzen für Portträger) ist nachgewiesen worden.

Nebenwirkungen (Tabelle 3)

Wie bei der enteralen Gabe der Opiate sind auch bei diesem Applikationsweg *Übelkeit und Erbrechen* die häufigsten Nebenwirkungen. Neben den auf S. 36 beschriebenen antiemetisch wirkenden Medikamenten ist ein Therapieversuch mit 2,5 mg Dehydrobenzperidol peridural sinnvoll.

Tabelle 3. Nebenwirkungen bei der rückenmarknahen Opioidapplikation

Nebenwirkung	Morphin peridural [%]	Buprenorphin peridural [%]	Morphin intrathekal [%]
Späte Atemdepression	0,01-0,4	bisher nicht berichtet	4
Hypotonie	2	10	bisher nicht berichtet
Juckreiz	1 (mit präservativfreiem Morphin)	0-1	25
Harnverhaltung (bei männlichen Patienten öfter als bei weiblichen)	10-15	0-20	10
Übelkeit Erbrechen	17	1 5-35	46
Dys-/Euphorie	bisher nicht berichtet	20	3
Sedierung	bisher nicht berichtet		

Die *späte Atemdepression,* die bei der periduralen Gabe von Opiaten befürchtet wird, ist eine sehr seltene Komplikation, insbesondere bei Patienten, die Opiate bereits enteral oder parenteral erhalten haben. Das Risiko ist dann erhöht, wenn ein kurzes Applikationsintervall, eine hohe Dosierung und ein hohes Applikationssegment gewählt werden muß. Eine durch Morphin hervorgerufene Atemdepression kann mit der fraktionierten Gabe von 0,1 mg Naloxon i.v. ggf. wiederholt wirksam antagonisiert werden (Vorsicht: wegen der relativ kurzen Wirkungsdauer von Naloxon ggf. als Infusion). Buprenorphin kann auf diese Weise nicht antagonisiert werden, statt dessen müssen allgemeine Maßnahmen durchgeführt werden (O_2-Gabe, Überwachung, ggf. Intubation und Beatmung). Nach periduraler Gabe von Morphin liegt die Zeitspanne der maximalen Atemdepression bei 7–10 h und hält zwischen 16–26 h an. Bei Kindern ist diese zentrale Nebenwirkung früher zu erwarten.

Aufgrund der geringeren Erfahrung mit Buprenorphin können in bezug auf die Nebenwirkungen keine sicheren Vor- oder Nachteile festgestellt werden, so daß derzeit Morphin der Vorzug zu geben ist.

Dosissteigerung während des Krankheitsverlaufs

Im Laufe der Behandlung tritt oft ein Nachlassen der analgetischen Wirkung auf. Folgende Ursachen kommen dafür in Frage:

1) Zunahme des Tumorwachstums: Eine Dosissteigerung ist indiziert, therapieresistente neurogene schmerzauslösende Mechanismen sind auszuschließen. Liegen sie vor, sind andere Therapieregime zu überprüfen, beispielsweise die zusätzliche orale Gabe von Antiepileptika oder Kortison und neurolytische bzw. neuroablative Maßnahmen, je nach schmerzauslösendem Mechanismus.
2) Toleranzentwicklung gegenüber den Opiaten: über einige Tage Gabe von Lokalanästhetika peridural oder zusätzliche Gabe von 0,15–0,30 mg Clonidin (s. S.91).
3) Lokale Verteilungsstörungen im Spinalkanal: Bei Tumoren, die durch Metastasierung oder direkte Infiltration den Spinalkanal einengen, oder bei einer bekannten Wirbelkörpermetastasierung sollte mittels Myelographie, ggf. mit einem Computertomogramm, diese Ursache ausgeschlossen werden. Eine Fibrosierung im Bereich der Katheterspitze kann im Epidurogramm festgestellt werden. Liegen solche Veränderungen vor, kann 40–80 mg Methylprednisolon in 1- bis 3tägigen Abständen peridural appliziert werden, ansonsten ist eine neue Katheterplazierung notwendig.

Peridurale Gabe von Lokalanästhetika

Diese Therapieart sollte nicht als Dauer- oder Routinemaßnahme, sondern nur als Ausweichmethode Anwendung finden.

Aufgrund der sich innerhalb weniger Tage entwickelnden Tachyphylaxie bei periduraler Gabe von Lokalanästhetika, des kurzen Applikationsintervalls zwischen Bolusinjektionen bzw. der relativ großen Volumina, die bei der kontinuierlichen Applikation notwendig sind, und der Einschränkung der Willkürmotorik ist dieses Analgesieverfahren nur für kurze Zeitspannen indiziert.

Indikationen

1) Als überbrückende Maßnahme bei opiatresistenten Schmerzen, bevor ein neurolytisches oder neurochirurgisches Verfahren durchgeführt werden kann bzw. bevor die erwartete Linderung nach Zytostatikagabe oder Bestrahlung einsetzt.
2) Bei opiatresistenten Schmerzen in der terminalen bettlägerigen Phase der Erkrankung, insbesondere bei Patienten, die eine tumorbedingte Störung der Darmmotilität haben.

Schmerzen rein viszeraler Ursache können oft mit einer Sympathikolyse mittels 0,125-0,25%iger Bupivacainlösung in der Dosierung von 3-6 ml/h kontrolliert werden. Zur Kupierung der Auswirkungen sonstiger schmerzauslösender Mechanismen bedarf es einer höheren Konzentration des Lokalanästhetikums, wobei beachtet werden muß, daß nicht nur die protopathische, sondern auch die epikritische Sensibilität samt deren Warnfunktion und die Willkürmotorik ausgeschaltet wird. Somit werden im Gegensatz zur Opiatanalgesie akute peritoneale Reize und Nervenirritationen infolge einer akuten Tumorbeteiligung oder eines Knochenzerfalls nicht wahrgenommen.

Die sehr starken Beschwerden, die sich bei Kompression von Nervenwurzeln infolge Tumorinfiltration oder Wirbelkörperkollaps ausbilden, lassen sich meist nur durch die kontinuierliche Infusion von Lokalanästhetika in ansteigender Dosierung lindern.

Intrathekale Opiatapplikation

Wegen der weittragenden Konsequenzen, die ein Infekt im Spinalraum mit sich bringt, werden für die intrathekale Opiatapplikation nur komplett implantierbare Systeme angewandt. Dies hat zur Konsequenz, daß die voraussichtliche Lebenserwartung der Patienten, die eine derartige Behandlung erhalten sollen, mindestens 6 Monate betragen sollte.

Der Wirkungsmechanismus und die Effektivität dieser Behandlungsart sind ähnlich der periduralen Opiatgabe, allerdings bei einer geringeren Dosierung (1–3 mg Morphin pro Applikation). Da das Opiat ohne Diffusionsweg unmittelbar rostral im Liquor cerebrospinalis zirkuliert, ist die Nebenwirkungsrate, insbesondere die Gefahr einer Atemdepression, etwas höher als bei der periduralen Applikation (Tabelle 2).

In einigen Kliniken wird die Implantation intrathekal liegender Katheter wegen der geringeren Dosierung und der sicheren Analgesie bevorzugt, insbesondere dann, wenn der tägliche Morphinbedarf während der Probephase mit peridural liegendem Katheter über 15–20 mg liegt, ferner wegen der Gefahr, daß sich eine epidurale Fibrosierung bei langer Liegedauer des Periduralkatheters ausbildet. Auch sind die systemischen Serumspiegel des Opiats bei der intrathekalen Gabe niedriger. Andererseits ist bei dieser Katheterlage das Risiko einer Meningitis, obwohl nur gering, höher als bei der Periduralanalgesie und die Gefahr einer Liquorfistelbildung größer.

Intraventrikuläre Morphinapplikation

Nur in Ausnahmefällen, in denen konventionelle orale und intrathekale/peridurale Opiatapplikationswege versagt haben und neuroablative Maßnahmen nicht erfolgversprechend sind, sollte eine intraventrikuläre Applikation erwogen werden. In Frage kommen ausgedehnte Karzinome im Kopf-Gesichts-Nacken-Bereich und Patienten mit diffuser Knochenmetastasierung oder Weichteilinfiltration der Arme und des oberen Thoraxanteils.

Implantationsverfahren (s. auch S. 93)

Über eine frontale Trepanation auf der nichtdominanten Seite wird der Katheter in das Vorderhorn eines der Seitenventrikel implantiert. Der Katheter wird an einem Port oder einer Pumpe, die meist subklavikulär implantiert wird, konnektiert.

Die notwendige Dosierung wird durch das Ausmaß der vorausgegangenen Opiatbehandlung beeinflußt. Die durchschnittliche Dosierung beträgt 0,3–0,7 mg/Tag; über interindividuelle Schwankungen zwischen 0,1 und 4 mg/Tag und über gar weitaus höhere Dosen ist jedoch berichtet worden.

Dadurch, daß die Applikation des Opiats in die Nähe des periaquäduktalen Graus, einem an Opiatrezeptoren reichen Areal, appliziert wird, wird eine hohe analgetische Wirksamkeit erreicht.

Nebenwirkungen

Erwartungsgemäß ist die zentrale Nebenwirkungsrate dieser Behandlungsart höher als bei der rückenmarknahen Applikation. Neben Übelkeit, Erbrechen, Sedierung und Atemdepression sind visuelle Halluzinationen, Dysphorien und Verhaltensstörungen beschrieben worden, die sich allerdings, wie die sonstigen Nebenwirkungen, mit Naloxon beseitigen lassen.

Alternativsubstanzen

Ketamin

Trotz wiederholter Behandlungsversuche hat sich die rückenmarknahe Gabe dieses Analgetikums in der Routine nicht durchgesetzt. In einer Dosierung von 4-10 mg, mit 10 ml 5%iger Glukoselösung diluiert, sind weder Kreislauf- noch Atemdepressionen beschrieben worden, allerdings bei einer noch geringen Gesamtfallzahl. Zur Zeit kann diese Behandlungsart nur als Ausweichmaßnahme bei Opiatintoleranz oder Opiatineffektivität angesehen werden. Die Wirkungsdauer beträgt 1/2-6 h.

Clonidin

Auf spinaler Ebene ist Noradrenalin ein hemmender Neurotransmitter der nozizeptiven Bahnen. Das Antihypertensivum Clonidin wirkt agonistisch an α_2-Adrenorezeptoren und fördert somit diese Hemmung. Die intrathekale/peridurale Gabe von Clonidin allein hat sich nicht bewährt; bei gleichzeitiger Gabe eines Opiats wird jedoch über eine Potenzierung der Analgesie berichtet.

Dosierung: 0,075-0,300 mg. Vorsicht: Blutdruck- und Pulsabfall, Sedierung.

Literatur

Arnér S, Arnér B (1985) Differential effects of epidural morphine in the treatment of cancer-related pain. Acta Anaesth Scand 23: 32

Bromage PR (1985) Clinical aspects of intrathecal and epidural opiates. In: Fields HL et al (eds) Advances in pain research and therapy, vol 9. Raven, New York

Coombs DW, Saunders RL, Lachance D, Savage S, Ragnarsson TS, Jensen LE (1985) Intrathecal morphine tolerance: use of intrathecal clonidine, DADLE, and intraventricular morphine. Anesthesiology 62: 358

Cousins MJ, Mather LE (1984) Intrathecal and epidural administration of opioids. Anesthesiology 61: 276

Gourlay GK, Cherry DA, Plummer JL, Armstrong PJ, Cousins MJ (1987) The influence of drug polarity on the absorption of opioid drugs into the CSF and subsequent cephalad migration following lumbar epidural administration: application to morphine and pethidine. Pain 31: 297

Gustafsson LL, Schildt B, Jacobsen K (1982) Adverse effects of extradural and intrathecal opiates. Report of a nationwide survey in Sweden. Br J Anaesth 54: 479

Lazorthes Y, Verdie JC, Bastide R, Lavados A, Descouens D (1985) Spinal versus intraventricular chronic opiate administration with implantable drug delivery devices for cancer pain. Appl Neurophysiol 48: 234

Müller H, Aigner K, Zierski J (1985) Behandlung von Tumorschmerz mit Pumpsystemen zur rückenmarksnahen Opiatapplikation. Dtsch Ärztebl 31: 2475

Zenz M (1981) Peridurale Morphinanalgesie zur Schmerztherapie bei Karzinompatienten. In: Zenz M (Hrsg) Peridurale Opiatanalgesie. Fischer, Stuttgart, S 83

Neurochirurgische Operationsverfahren

F. Brandt

Neurochirurgische Eingriffe gelten in herkömmlicher Sicht als letzter Schritt in der Kette der schmerztherapeutischen Phalanx. Die Schmerzchirurgie kann jedoch bei strenger Indikationsstellung für das *geeignete* operative Verfahren dem Tumorpatienten hilfreich sein und seinen leidvollen Weg für lange Frist wirkungsvoll erleichtern. Bei einer bekannten Tumorerkrankung mit exakter Erfassung der Metastasierung wird der Neurochirurg mit den unterschiedlichsten Aufgabenstellungen konfrontiert. Die folgende Auflistung berücksichtigt den Einsatz neurochirurgischer Operationstechniken in kraniokaudaler Verteilung (Tabelle 1).

Kopf/Hals

Hirntumoren mit den Leitsymptomen Kopfschmerzen, Übelkeit und Erbrechen, später auch Bewußtseinseintrübung, deuten auf eine Hirndrucksymptomatik hin, die der spezifischen Therapie – geleitet durch neuroradiologische Untersuchungsmethoden – zugeführt werden müssen. Auch Veränderungen

Tabelle 1. Synopsis der tumorbezogenen Schmerzursachen und der dabei in Betracht kommenden Therapieverfahren

Schmerzursachen	Therapieverfahren
Maxillofaziale Tumoren	Intrathekale/intraventrikuläre Opiatanalgesie
Karzinommetastasen der Wirbelkörper/Wirbel bei Plasmozytom	Wirbelkörperersatzplastik, ventrale und dorsale Osteosynthese
Kompression des Plexus brachialis	Operative Neurolyse des Plexus brachialis, posteriore Rhizotomie oder „DREZ lesion", perkutane Chordotomie
Wirbelkörperdestruktion, epidurale Metastasen	Laminektomie, Rhizotomie extradural, Stabilisierung durch Osteosynthese
Kompression des Plexus lumbosacralis, Beckenmetastasen	Perkutane Chordotomie

der Persönlichkeitsstruktur sowie zerebrale Krampfanfälle lassen an einen intrakraniellen Prozeß denken. Handelt es sich um eine gutartige Hirngeschwulst, ist die rasche Operation zumeist auch das Ende einer Schmerzanamnese. Deuten die neuroradiologischen Untersuchungsergebnisse (Computertomographie, Kernspintomographie und Angiographie) auf das Vorliegen einer malignen Hirngeschwulst hin, so ist die prinzipielle Entscheidung zu einem operativen Eingreifen umgehend zu treffen. Die Hirndrucksymptomatik führt ansonsten unbehandelt rasch zu einer Bewußtseinsstörung und zum Exitus. In ausgewählten Fällen ist die Operation einer solitären Hirnmetastase auch in strategisch kritischen Hirnregionen indiziert und hinsichtlich der Beseitigung von neurologischen Störungen nutzbringend, da mit der Entfernung der manchmal recht kleinen Hirnmetastase das ungleich größere Perifokalödem zu beseitigen ist (Brandt et al. 1984).

Tumoren im Mund-, Kiefer- und Gesichtsbereich infiltrieren bei Beteiligung der Schädelbasis gelegentlich die Dura. Der dabei über den N. trigeminus fortgeleitete Schmerz ist durch einen Eingriff am peripheren Neuron (Thermokoagulation im Ganglion Gasseri oder Exhärese eines Astes des N. trigeminus) nicht zu beeinflussen. Hier kommen intraventrikuläre Opiatinstillationen über ein Kathetersystem, das durch ein rechtsfrontales Bohrloch in den Seitenventrikel geleitet ist, zum Einsatz. Zum einen können durch ein Ommoya-Reservoir (Silikonkapsel unter der Kopfschwarte) täglich Opiatgaben injiziert werden, zum anderen bietet sich eine zum Hals oder oberen Thoraxbereich ausgeleitete subkutane Katheterführung mit Anschluß an ein Pumpsystem (On-demand- oder automatische Pumpsysteme) zur Opiatdosierung an. Breite Erfahrungen liegen hierzu erst in einigen Zentren vor.

Die direkte Kompression des postganglionären Trigeminusneurons durch Infiltration und Ummauerung des Nerven durch ein Neoplasma im Gesichtsschädelbereich führt häufig zu einer heftigen Schmerzsymptomatik, wobei in ausgewählten Fällen eine Thermokoagulation im Ganglion Gasseri indiziert ist. Hierbei wird in der Punktionstechnik nach Härtel das Foramen ovale der betroffenen Seite anpunktiert und bei motorischer Reizung des 3. Astes Kontraktionen der Kaumuskulatur beobachtet (2-Hz-Reize); es erfolgt dann die sensible Reizung (100-Hz-Reize) zur exakten, selektiven Ermittlung der Schmerzbahnen innerhalb des Ganglions. In Barbituratkurznarkose oder anderen geeigneten Anästhesieverfahren wird dann über 5mal 60 s die Thermokoagulation (bis 85 °C) durchgeführt. Das Ziel ist die profunde Analgesie und leichte Hypästhesie des ehemaligen Schmerzareals. Die Wirkungsdauer der Thermokoagulation liegt im Schnitt (beim Tic douloureux) bei ca. 2 Jahren, danach werden mit Aufklaren der Hypästhesie Rezidive häufiger. Eine Wiederholung der Operation ist möglich. Eine vorübergehende Nebenwirkung kann eine Kauschwäche auf der operierten Seite sein.

Auch der wegen der Hypästhesie nicht verspürte Speichelfluß aus dem Mundwinkel stört einige Patienten. Als Komplikation ist der Zustand einer Anaesthesia dolorosa (in 2–3% der Fälle) zu werten; dann sind weitere operative Eingriffe im Ganglion Gasseri kontraindiziert (Brandt 1985).

Tumorinfiltrationen bzw. radiogene Läsionen am Kieferwinkel und Zustandsbilder nach Neck-dissection verursachen gelegentlich eine sehr heftige Neuralgie des N. auricularis magnus. Die Diagnose dieser Schmerzsymptomatik wird selten gestellt, kann jedoch ganz einfach durch eine Testblockade (2 ml eines kurzwirkenden Lokalanästhetikums) realisiert werden. Eine Neurotomie des N. auricularis magnus sollte in Lokalanästhesie durchgeführt werden, um intraoperativ durch mechanische Reizung die Identität des zu durchtrennenden Nerven zu überprüfen. Die Prognose hinsichtlich völliger Schmerzfreiheit ist in diesen Fällen sehr gut.

Oberer Körperquadrant

Läsionen des *Plexus brachialis*, hervorgerufen durch Tumorinfiltration bzw. -kompression (Pancoast-Tumor, Mammakarzinom), führen neben den sensomotorischen Ausfällen häufig zu Schmerzen im Bereich der oberen Extremitäten. Ebenso können fortgeschrittene Karzinome mit regionalen Lymphknotenmetastasen im Bereich der Axilla Schmerzen durch Plexusirritationen hervorrufen. Auch radiogene Spätläsionen sind häufig mit starken schmerzhaften Parästhesien bzw. einer Algodystrophie verbunden. Skelettmetastasen im Bereich der Schulterregion und der oberen Extremitäten verursachen durch eine Periostreizung ebenfalls heftige Schmerzen, die gelegentlich durch medikamentöse Analgesie, Strahlentherapie, Eingriff im sympathischen Nervengeflecht und Elektrostimulationsverfahren nicht zu beherrschen sind. Beim Pleuramesotheliom, wobei sich ein sog. oberes Quadrantensyndrom durch die Mitbeteiligung des Plexus brachialis ergeben kann, sind die Methoden der konservativen Schmerztherapie rasch erschöpft. Die Diagnostik sollte zur sauberen Dokumentation folgende Untersuchungen beinhalten:

1) eine neurologische Untersuchung,
2) bei Plexus-brachialis-Irritation eine elektromyographische Untersuchung,
3) eine Röntgennativdiagnostik,
4) eine Computertomographie der oberen Thoraxapertur.

Operative Behandlung:

1) Möglichkeit einer Plexus-brachialis-Freilegung mit perineuraler Neurolyse. Dieses Verfahren kommt nur bei langsam progredienten Neoplasmen in Frage. Bei aktinischen Spätschäden hat die chirurgische Neurolyse wegen

der axonalen Schädigung eine zumeist nur unzureichende Aussicht auf Erfolg. Eine komplette Plexusparese stellt eine Kontraindikation zur operativen Revision dar. Ein bestehendes Lymphödem des Armes beeinflußt die Indikationsstellung zu einer Freilegung des Plexus brachialis nicht.

2) Handelt es sich um eine wurzelnahe Läsion mit eindeutig radikulär zuzuordnendem Schmerzverteilungsmuster, so kommt nach erfolgreicher vorheriger Testblockade eine intradurale posteriore Rhizotomie, d. h. eine selektive Durchtrennung der sensiblen Hinterwurzel, oder eine „dorsal root entry zone lesion (DREZ lesion)" nach Nashold in Frage. Hierbei wird die Lamina I der Substatia gelatinosa punktförmig entlang des Sulcus intermediolateralis koaguliert.

Eine weitere Möglichkeit besteht in der Lissauer-Traktotomie nach Sindou (superselektive posteriore Rhizotomie), wobei die C-Fasern führenden Anteile der Hinterwurzel durchtrennt werden. Eine Überlegenheit des einen Verfahrens gegenüber dem anderen läßt sich aus den Angaben der Literatur nicht ableiten.

3) Wir empfehlen bei Infiltration des Plexus brachialis mit entsprechend hartnäckigen Deafferenzierungsschmerzen die perkutane Chordotomie, wie sie in den frühen 60er Jahren von Mullan u. Rosomoff eingeführt wurde.

Zur Technik der perkutanen Chordotomie (Abb. 1): In Rückenlage des Patienten, wobei der Kopf fixiert gehalten wird, erfolgt unter Bildwandlerkontrolle die Infiltration des Stichkanals mit 10 ml 1 %iger Mepivacainlösung. Nach

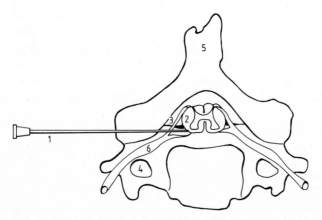

Abb. 1. Schematische Darstellung der Nadelposition bei der perkutanen Chordotomie des Tractus spinothalamicus lateralis. *1* Koagulationselektrode, *2* Nadelspitze an der gewünschten Lokalisation, *3* Lig. denticulatum, *4* A. vertebralis, *5* Processus spinosus, *6* Spinalnerv mit Spinalganglion

Einsetzen der Wirkung des Anästhetikums folgt die Einführung der Punktionskanüle in den zervikalen Subarachnoidalraum von lateral in Höhe C½. Etwa 5 ml des gewonnenen Liquors werden aufgefangen und mit einem öligen Kontrastmittel emulgiert. Wasserlösliche Kontrastmittel haben sich wegen der raschen Verteilung im Liquorraum nicht bewährt. Man kann nun die vordere und hintere Begrenzung des Rückenmarks sowie die Trennlinie des Kontrastmittelbandes durch das Lig. denticulatum ausmachen und entsprechend die Zielelektrode direktionieren. Die elektrische Widerstandsmessung erlaubt eine Aussage über die Plazierung der Elektrode im Nervengewebe (Impedanzwerte zwischen 600 und 1000 Ω). Durch sensible hochfrequente Reizung (75-100 Hz) kann man jetzt die exakte Lokalisierung der Elektrodenspitze determinieren und entsprechend korrigieren. Durch 2-Hz-Reize erfolgt die motorische Reizung, um eine akzidentelle Miterfassung der Pyramidenbahn sicher zu vermeiden. Zumeist kommt es bei richtigsitzender Nadel zu einer Kontraktion der homolateralen Nackenmuskulatur. Liegt die Nadel an der erwünschten Stelle im Rückenmark, erfolgt die Koagulation über 1 min Dauer durch den Hochfrequenzgenerator, wobei ein Stromfluß von 10 mA angestrebt wird. Sodann wird die Nadel herausgezogen und das Analgesieniveau überprüft.

Die üblichen postpunktionellen Kopfschmerzen, bedingt durch den Liquorverlust, sind symptomatisch mit Infusionslösungen und Analgetika zu beherrschen und klingen zumeist innerhalb von 48 h ab. Durch eine Miterfassung des Tractus spinoreticularis ist das Auftreten einer Apnoe während des Schlafes möglich. Bei Patienten mit normaler respiratorischer Funktion ist das Risiko einer apnoischen Phase relativ gering, wohingegen bei Patienten mit bekannter Lungenerkrankung und niedrigen PO_2-Spannungen ein sehr viel höheres Risiko besteht. Dementsprechend ist die postoperative Überwachung zu organisieren. In der Literatur wird das Risiko von postoperativen Atemstörungen mit 0-4,6% angegeben (Lorenz et al. 1975). Eine unangenehme Folgeerscheinung, die auch erst nach Wochen und Monaten auftreten kann, ist die Dysästhesie im analgetischen Areal. Die Dysästhesiequote wird mit 8-16% der Gesamtfälle angegeben, wovon 1-4% eine schwere Ausprägung besitzen (Nashold u. Ostdahl 1979; White u. Sweet 1979). Andere Autoren erwähnen 40%, wovon 5% der Patienten darunter leiden und 1% außerordentlich stark belästigt werden. Diese lästigen Thermodysästhesien („Brennen wie Feuer" oder „Kältepanzer") sind u. U. mit Neuroleptika zu beeinflussen, in der Regel jedoch therapierefraktär. Die präoperative Aufklärung umfaßt die Möglichkeit von motorischen Ausfallserscheinungen (vorübergehende Hemiparese 4-17%, bleibende Hemiparese 0-3%), Ateminsuffizienz (0-4,6%), insbesondere Schlafapnoe, vegetativen Ausfallserscheinungen wie Blasenentleerungsstörungen (1,5-15%) und von den oben erwähnten Dysästhesien (Risikoraten aus der Literatur zit. nach Lorenz et al.

1975). Bei Prozessen im kleinen Becken mit zunächst einseitigen Schmerzangaben erlebt man es immer wieder, daß nach erfolgreicher Schmerzausschaltung nun über kontralaterale Schmerzen geklagt wird, die vorher gar nicht subjektiv registriert wurden. Dies macht dann einen Zweiteingriff erforderlich. Es empfiehlt sich jedoch dringend, zur Vermeidung vegetativer Störungen, bedingt durch ein intramedulläres Ödem, eine Pause von 10–14 Tagen zwischen den beiden Operationen einzulegen. Die Indikationsstellung zur beidseitigen Chordotomie muß wegen des erhöhten Mortalitätsrisikos eher eng gefaßt werden.

Bei längerfristigen Nachuntersuchungen gaben nach 6 Monaten zwei Drittel der Patienten, nach 1 Jahr noch die Hälfte Schmerzfreiheit an (Cowie u. Hitchcock 1982). In einer größeren Zusammenstellung der Literaturangaben (Lorenz et al. 1975) werden die positiven Spätresultate mit 42–75% beziffert.

Mit aufklarender epikritischer Sensibilität im vormals ausgeschalteten Areal und wieder einsetzenden Schmerzen kann eine Wiederholung der Chordotomie durchgeführt werden. Mehr als zweimalige Eingriffe für eine Seite kommen nicht in Frage; es muß dann auf ein anderes Therapieregimen ausgewichen werden.

Rumpf und Achsenskelett

Schmerzsyndrome im Bereich des Achsenskeletts sind oft Hinweis auf eine intraspinale Raumforderung, die der radiologischen Abklärung bedarf. Hierzu kommt Röntgennativdiagnostik, Computertomographie, Myelographie und Kernspintomographie in Betracht. Epidurale Karzinommetastasen mit Kompression von Spinalnerven machen sich zumeist als segmentaler bzw. gürtelförmiger Schmerz bemerkbar. Die operative Behandlung zielt auf eine Entlastung durch Laminektomie und epidurale Tumorbeseitigung ab. Unter Umständen ist bei extremer Sinterung des Wirbelkörpers und Achsenknick eine Stabilisierungsoperation mit Osteosynthese erforderlich, um nicht eine erneute Rückenmarkkompression zu verursachen. Liegt ein monosegmentaler Wirbelkörperbefall mit epiduraler Raumforderung vor, so kann man im Halswirbelsäulenbereich durch ventralen Zugang, im thorakalen Bereich durch dorsolateralen Zugang und im Lumbalbereich durch transabdominellen Zugang eine Wirbelkörperersatzplastik durch autologe Knochenspantransplantation realisieren. Die anschließende Osteosynthese erfolgt zumeist durch ventrale Verplattung im Zervikalbereich und transpedunkuläre Verplattung von dorsal für den Thorax- und LWS-Abschnitt.

Die Entlastungslaminektomie und epidurale Tumorexstirpation bzw. Teilexstirpation stellen die Domäne der neurochirurgischen Interventionen der Tumorchirurgie an der Wirbelsäule dar. Als konkurrierendes Verfahren gilt

hierbei sicherlich die Strahlentherapie; jedoch ist bei sich rasch entwickeln-
der Querschnittssymptomatik eine operative Intervention anzustreben, da die
Wirkung der Bestrahlung mit dem sich zugleich entwickelnden Ödem erst
nach einigen Tagen einsetzt, während denen eine komplette Querschnittslähmung eingetreten sein kann. Als besonders radiosensitive Tumoren gelten die
Geschwülste der Lymphomreihe. Liegen mehrere Wirbelsäulenmetastasen in
unterschiedlichen Abschnitten der Wirbelsäule zugleich vor, ist sowohl aszen-
dierend als auch deszendierend zu myelographieren, um dann das weitere
operative oder konservative Vorgehen festzulegen. Während einer Laminektomie ist darauf zu achten, daß wegen des radikulären Schmerzbildes eine
sichtbare Tumorentlastung der Spinalwurzeln zu schaffen ist. Im Thorakalbe-
reich können problemlos eine oder mehrere Spinalwurzeln koaguliert, durchtrennt oder durch Metallclips komprimiert werden. Hierdurch ist eine effek-
tive Schmerzreduktion zu erzielen.

Beckenbereich

Im Bereich des kleinen Beckens können Skelettmetastasen mit oder ohne
Infiltration des Plexus lumbosacralis heftigste Schmerzsyndrome verursachen. Eine direkte Entlastungsoperation am peripheren Nervenstamm ist
nicht sinnvoll durchführbar. Handelt es sich um einen eindeutig lateralisier-
ten Schmerz, so ist je nach Tumorbefall und Prognose (geschätzte Lebenserwartung < 1 Jahr) eine perkutane Chordotomie frühzeitig indiziert. Die Indikation sollte in erster Linie bei streng einseitigem Schmerz gestellt werden.
Beidseitige Schmerzen schließen in anderwärtig austherapierten Fällen eine
beidseitige Chordotomie nicht aus, jedoch sollte – wie oben erwähnt – zur
Vermeidung von neurologischen Ausfallerscheinungen zwischen den beiden
Eingriffen eine Frist von 14 Tagen eingehalten werden. Bei Schmerzen, die
im Bereich der Mittellinie, d.h. im Sakrokokzygealbereich bzw. Perinealbereich angegeben werden, ist eine perkutane Chordotomie kontraindiziert, da
man diese Region erfahrungsgemäß nicht erfassen kann. Bei einer solchen
Schmerzkonstellation ist die Periduralanästhesie bzw. die peri- und intrathekale Opiatanalgesie mittels Pumpsystem führend. Handelt es sich z. B. um ein
metastasierendes Rektumkarzinom mit Mittelschmerz, das dem Patienten ein
normales Sitzen wegen der Schmerzen nicht mehr gestattet, so ist bei bereits
angelegtem Anus praeter und extravesikaler Urinableitung die intrathekale
Phenolapplikation zur Läsion der intraduralen Sakralwurzeln (S_2–S_4) segens-
reich.
    Läßt sich der Eingriff der perkutanen Chordotomie entweder aus man-
gelnder Kooperation des Patienten oder unglücklicher Punktionstechnik mit
Erfassung und Reizung der Wurzel C_2, was als sehr schmerzhaft empfunden

wird, nicht wie geplant durchführen, so bleibt die Möglichkeit einer offenen Chordotomie über eine Hemilaminektomie bzw. Laminektomie. Für Rumpf und untere Extremitäten geht man zweckmäßigerweise in Höhe Th_2-Th_3 vor. Während anfänglich das Analgesieniveau 2-4 Segmente tiefer angegeben wird, steigt dieses erfahrungsgemäß allmählich 2 Segmente höher. Schmerzlokalisationen im Thorax bzw. in den oberen Extremitäten werden durch eine offene zervikale Chordotomie erfaßt. Je höher der Schmerzpunkt ist, um so weiter ventral und medial liegt die Projektionsbahn, die durchtrennt werden muß (Umbach 1984). Technisch erreicht man dies durch Eröffnung des Wirbelkanals durch Hemilaminektomie bzw. Laminektomie, Duraeröffnung und Fixierung des Lig. denticulatum, das durchtrennt und mit einer Klemme erfaßt wird. Sodann kann man mit oder ohne leichter Torquierung des Rükkenmarks den vorderen Quadranten überblicken, der mit einer speziell bemessenen Klingenspitze durchtrennt wird. Zu vermeiden ist hierbei eine Läsion der A. spinalis anterior. Der operative Aufwand für die offene Chordotomie, die mit einem höheren Mortalitätsrisiko behaftet ist, korreliert darüber hinaus nicht mit dem Langzeitergebnis. Man sollte eine solche Technik daher nur in einzelnen, seltenen Fällen diskutieren. Ebenso sind läsionale Methoden durch stereotaktische Hirnoperationen mit ein- oder doppelseitiger Ausschaltung im 2. Neuron, d. h. im Nucleus limitans, Nucleus parafascicularis und Centrum medianum, allein durch die geringe Anzahl sterotaktisch ausgerüsteter Kliniken limitiert. Diese Eingriffe stellen auch eine nicht unerhebliche Einflußnahme auf die Persönlichkeitsstruktur dar, so daß die moderne Schmerztherapie ohne diese Verfahren auskommt.

Während die Technik der transkutanen Elektrostimulation wegen ihrer einfachen Handhabbarkeit durchaus ihren Stellenwert in der Tumorschmerztherapie besitzt (z. B. bei inkompletten Plexus-brachialis-Paresen und sekundären Muskelverspannungen), kommt den implantierbaren Rückenmarkstimulatoren bzw. Hirnstimulatoren („deep brain stimulation", DBS) wegen der sich ständig verändernden Schmerzparameter bei einem filialisierenden Malignom keine quantitative Bedeutung zu.

Literatur

Brandt F (1985) Möglichkeiten und Grenzen der Stimulationsbehandlung bei Schmerzsyndromen. Krankenhausarzt 58: 341-345

Brandt F, Wittkamp P (1985) Spätresultate der Thermokoagulation im Ganglion Gasseri beim Tic Douloureux. Neurochirurgia 64: 133-135

Brandt F, Clar H-E, Robel H, Bamberg M (1984) The importance of clinical follow-up in determining the indications for operation in brain metastases. In: Piotrowski W (ed) Advances in neurosurgery, vol 12. Springer, Berlin Heidelberg New York Tokyo

Cowie RA, Hitchcock ER (1982) The late results of anterolateral cordotomy for pain relief. Acta Neurochir 64: 39–50

Lorenz R, Grumme T, Herrmann HD, Palleske H, Kühner A, Steude U, Zierski J (1975) Percutaneous cordotomy. In: Penzholz H (ed) Advances in neurosurgery, vol 3. Springer, Berlin Heidelberg New York Tokyo

Mullan S, Harper PK, Hekatpadah H, Torres H, Dobbin G (1963) Percutaneous interruption of spinal pain tracts by means of a strontium needle. J Neurosurg 20: 931–939

Nashold BS, Ostdahl RH (1979) Dorsal root entry zone lesion for pain relief. J Neurosurg 51: 59–69

Rosomoff HL, Caroll F, Brown J, Sheptak P (1965) Percutaneous radiofrequency cervical cordotomy; Technique. J Neurosurg 23: 639–644

Sindou M, Goutelle A (1983) Surgical posterior rhizotomies for the treatment of pain. In: Loew F (ed) Advances and technical standards in neurosurgery, vol 10. Springer, Berlin Heidelberg New York Tokyo

Umbach W (1984) Schmerztherapie. In: Dietz H (Hrsg) Klinische Neurochirurgie, Bd. II. Thieme, Stuttgart New York

White JC, Sweet WH (1979) Anterolateral cordotomy: open versus closed, comparison of end results. Adv Pain Res Ther 3: 911–919

Palliative Strahlenbehandlung

K. Schüle-Hein

Vorbemerkungen

Der *Stellenwert* palliativer strahlentherapeutischer Maßnahmen in der Behandlung von Patienten mit fortgeschrittener bzw. bereits metastasierter Tumorerkrankung wird häufig fehleingeschätzt. Bei etwa 50–60% der Patienten einer strahlentherapeutischen Abteilung sind Therapiemaßnahmen unter kurativer Zielsetzung nicht mehr möglich.

Die wesentlichen Unterschiede zwischen kurativer und palliativer Bestrahlung liegen im Behandlungsziel, in der erforderlichen Strahlendosis und der Fraktionierung und somit in der Gesamtdauer der Strahlenbehandlung sowie in dem Ausmaß an tolerierbaren Nebenwirkungen.

Das *Ziel* der palliativen Bestrahlung ist nicht die Heilung des Patienten, sondern die Verbesserung der Lebensqualität für die mutmaßlich verbleibende Lebensspanne, nicht jedoch die Hinauszögerung des Todeszeitpunktes um jeden Preis. Im Vordergrund steht also die Symptombesserung durch möglichst anhaltende Tumorverkleinerung. Erst in zweiter Linie ist ein Einfluß auf die Lebensdauer zu erwarten, wobei in Einzelfällen durch lokale Tumorvernichtung durchaus eine Lebensverlängerung erzielt werden mag.

Dabei stellt die *Strahlentherapie als lokale Behandlungsmethode* lediglich ein *Glied in einer Reihe wirksamer therapeutischer Maßnahmen* dar, deren sinnvoller und zeitgerechter Einsatz einer interdisziplinären Absprache bedarf.

Bei der palliativen Bestrahlung geht es nicht nur um die Behandlung von Schmerzen, sondern auch um die Besserung, Beseitigung oder Verhinderung unterschiedlichster Befindlichkeitsstörungen und Symptome, nämlich Bewegungseinschränkung durch schmerzhafte Knochen- und Weichteilmetastasen, drohende Frakturen, Druckgefühl durch tumoröse Raumforderungen mit Kompression von Gefäß- und Nervenstrukturen (Sensibilitätsstörungen und Lähmungserscheinungen), Hirndruckzeichen, Exophthalmus, Visusminderung bzw. Visusverlust, Kompression von Hohlorganen mit Abflußbehinderung (Harnstauung, Luftnot, Husten, Auswurf, poststenotische Pneumonie), Tumorblutungen, vermehrte Sekretion, Exulzeration.

Allgemeine Prinzipien

Die palliative strahlentherapeutische Behandlung stellt jeweils eine auf den individuellen Patienten abgestimmte Maßnahme dar und erfordert eine gründliche Abschätzung seiner Gesamtsituation nach exakter Abklärung der Symptomursachen mittels ausreichender, nicht zu belastender Diagnostik. Therapiefolgezustände (z. B. radiogene oder Druckulzera, radiogene oder zytostatische Nervenschädigungen, Lymphödeme durch Fibrosen) sind sorgfältig abzugrenzen; sie lassen sich durch Bestrahlung nicht bessern.

Erläuternd heißt dies, daß bei weit fortgeschrittener Erkrankung und schlechtem Zustand des Patienten die Therapie möglichst rasch und wenig belastend erfolgen sollte und daß bei prognostisch günstigen Faktoren – wie z. B. langem tumorfreiem Intervall, Metastasierung in nur einem Organsystem, gutem Allgemeinzustand – die einzuschlagende Strahlentherapie durchaus etwas länger dauern kann und höher dosiert werden sollte mit der Erwartung einer evtl. länger anhaltenden Remission. Die Strahlenbehandlung sollte soweit als möglich ambulant durchgeführt werden, um dem Patienten ein Verbleiben in seiner gewohnten häuslichen und familiären Umgebung zu ermöglichen. Erzwungene Bettruhe oder Immobilisation im Gipsbett führen zusätzlich zu Muskelatrophien und Entkalkung des Skeletts.

Auch jede *palliative* strahlentherapeutische Maßnahme muß sorgfältig geplant, nach Möglichkeit röntgengezielt eingestellt und exakt dokumentiert werden (Simulator-, Feldkontrollaufnahmen; Fotodokumentation klinischer und einstellungstechnischer Parameter).

Nach subtiler Aufklärung über Art und Ziel der geplanten Bestrahlung, unter Bestärkung seiner Hoffnungen und Erläuterung der möglichen Nebenwirkungen sollte vom Patienten möglichst eine schriftliche Einverständniserklärung eingeholt werden.

Bei fehlender Symptomatik, fraglichem Erfolg der vorgesehenen Bestrahlung oder moribundem Zustand des Patienten ist im Einzelfall das Unterlassen oder Abbrechen der Bestrahlung sinnvoller und menschlicher. „Scheinbestrahlungen" sollten auf keinen Fall durchgeführt werden – hier müssen andere geeignete Therapiemaßnahmen in den Vordergrund treten. Gelegentlich ist allerdings eine palliative Bestrahlung aus rein kosmetischen Gesichtspunkten (äußerlich sichtbare, entstellende, blutende, exulzerierende Tumormanifestationen) ohne Beeinflussung des Gesamtzustandes zu rechtfertigen, um dem Patienten das Gefühl „ansehnlichen" Wohlbefindens – wenn auch evtl. nur vorübergehend – zu vermitteln.

Durchführung

Die palliative Strahlentherapie sollte heute Megavolttechniken (Beschleuniger, Telecobaltgeräte) bevorzugen wegen ihres hautschonenden Effekts, der besseren Tiefendosis, der gleichmäßigeren Strahlenabsorption in Knochen und Weichteilen und der damit homogeneren Dosisverteilung. Bei Kutis- bzw. Subkutisinfiltration sind zur Minderung des Aufbaueffekts bei der an sich hautschonenden Hochvoltbestrahlung Moulagen (Auflegen gewebeäquivalenten Materials, z. B. Wachs, Kunststoffolie, Plexiglas) zur Dosiserhöhung im Hautniveau erforderlich. Bei oberflächlich lokalisierten Prozessen können schnelle Elektronen eingesetzt werden mit dem Vorteil begrenzter wählbarer Eindringtiefe je nach Elektronenenergie und damit weitgehender Schonung von Umgebungsstrukturen durch den relativ steilen Dosisabfall.

Das Bestrahlungsfeld soll den Tumorbereich mit einer Sicherheitszone (Zielvolumen) umfassen, so klein wie möglich und so groß wie eben erforderlich sein. Bei Knochenmetastasen ist aufgrund kleiner Herde in der Umgebung der Läsion der befallene Knochen großräumig einzuschließen, bei Wirbelsäulenmetastasen 1–2 gesunde Wirbelkörper ober- und unterhalb. Bei der Bestrahlung abdomineller Prozesse sollten benachbarte Risikoorgane (Nieren, Dünndarm, Harnblase, Rektum) soweit wie möglich geschont werden. Die unterschiedlichen Toleranzdosen der verschiedenen Organe sind zu berücksichtigen, ebenso eine Vor- und begleitende Behandlung mit Zytostatika (Gefahr der Myelosuppression, zusätzliche Schädigung von Magen-Darm- und Urogenitaltrakt, Myokard- und Lungenschädigung, Neurotoxizität; s. Tabelle 1).

Nach Möglichkeit sollte über *ein* Feld (Stehfeld) bestrahlt werden; bei großen Herdtiefen empfehlen sich jedoch opponierende Felder bzw. eine Mehrfelderbestrahlung. Bei komplizierten Tumorlokalisationen und Zielvolumina ist zur kleinräumigen Dosiskonzentration mit Schonung der Eintrittspforten

Tabelle 1. Organbezogene Nebenwirkungen verschiedener Zytostatika

Organ	Zytostatika
Haut, Schleimhaut	5-Fluoruracil, Methotrexat, Adriamycin, Actinomycin D
Knochenmark	Adriamycin, Cyclophosphamid, 5-Fluoruracil, Mitomycin C, CCNU
Lunge	Bleomycin, Methotrexat, Busulfan
Herz	Adriamycin
Niere + ableitende Harnwege	Cyclophosphamid, Cisplatin
Periphere Nerven	Vincristin, Cyclophosphamid

und Umgebungsstrukturen die CT- und rechnergesteuerte Bestrahlung zu bevorzugen.

Bei wenig strahlensensiblen Tumoren (Knochen- und Weichteilsarkome, zerebrale Gliome, maligne Melanome) bzw. sehr ausgedehnten oder flächenhaften Prozessen (Lymphangiosis cutis carcinomatosa, inflammatorisches Mammakarzinom kann der (zusätzliche) Einsatz von Neutronen oder eine hyperfraktionierte Bestrahlung (2- bis 3mal täglich) mit reduzierter Einzeldosis Erfolg versprechen oder die Bestrahlung mit lokaler Hyperthermie (Erwärmung von Körperarealen auf 42–43 °C, dadurch zusätzliche Schädigung von Tumorzellen) bzw. nach Sensibilisierung mit Zytostatika [Blockade des Zellteilungszyklus in einer bestimmten Phase, damit Vergrößerung des Strahlentherapieeffekts durch höhere Zellzahl in der vulnerablen (prä)mitotischen Phase].

Bei lokalisierten, stenosierenden oder blutenden tumorösen Prozessen in gut zugänglichen Hohlorganen (Bronchialsystem, Ösophagus, Magen-Darm- und Genitaltrakt) können Kontaktbestrahlungen mit beweglichen Strahlenquellen im Afterloadingverfahren (^{60}Co, ^{137}Cs, ^{192}Ir) durchgeführt werden, evtl. in Kombination mit Laserresektion oder kryochirurgischen Maßnahmen. Vorteil ist die lokal hohe Dosis mit steilem Dosisabfall zur Umgebung und die zeitliche Streckbarkeit der Fraktionen. Zur lokalen Dosiserhöhung bei großen, aber umschriebenen Tumoren (z. B. HNO-Tumoren, Mammakarzinome, Lymphknotenmetastasen) kann eine interstitielle Bestrahlung (Implantation von radioaktiven Nukliden, z. B. ^{125}I, ^{198}Au) angewandt werden.

Die zur palliativen Strahlenbehandlung erforderliche Dosis liegt i. allg. zwischen 30 und 50 Gy, appliziert in 2–5 Wochen. Die Einzeldosis richtet sich nach Ausmaß und Lokalisation des Tumors und liegt zwischen 2 und 5 Gy, appliziert 2- bis 5mal pro Woche. In geeigneten Einzelfällen (z. B. einzeitige präoperative Bestrahlung, schlechter Zustand des Patienten) sind einmalige hohe Einzeldosen von 10–15 Gy anwendbar. Gelegentlich sind auch trotz palliativer Intention zum Erreichen einer möglichst anhaltenden Remission hohe Gesamtdosen von ca. 70 Gy erforderlich. Toleranzdosen der Risikoorgane und etwaige frühere Bestrahlungen sind unbedingt zu berücksichtigen.

Biologische Wirkung

Die biologische Wirkung der Bestrahlung beruht auf der Absorption der Strahlenenergie im Gewebe und den daraus folgenden Wechselwirkungen auf zellulär-molekularer Ebene. Der zeitliche Ablauf erfolgt in mehreren Schritten:

1) *Physikalische Phase* (10^{-16}–10^{-13} s):
   Dosisabsorption $\rightarrow$ Ionisationen $\rightarrow$ Molekularanregungen $\rightarrow$ Wärme.

2) *Physikalisch-chemische Phase* (10^{-10} s):
   Primärschäden am Molekül $\triangleq$ direkter Strahlenwirkung; Bildung von Radikalen $\rightarrow$ Molekülschädigung $\triangleq$ indirekter Strahlenwirkung.

3) *Biochemische Phase* (10^{-6} s):
   Oxidationen, Reduktionen, Decarboxylierungen, Hydroxylierungen $\rightarrow$ Veränderungen am organischen Molekül.

4) *Biologische Phase* (Dauer bis zu mehreren Jahren):
   Stoffwechselveränderungen, Mutationen, submikroskopische bis morphologisch sichtbare Schäden, Zelltod, Zellerholung.

Die biologischen Veränderungen beruhen im einzelnen auf Schädigung der DNS und anderer Kern- und Zellbausteine mit Beeinträchtigung von Zellproliferation, Zellteilung, Zelltod und Auswirkungen auf die Zellerholung. Erholungsvorgänge sind abhängig von der Reparaturfähigkeit des zellulären Systems. Die beschriebenen 4 Phasen laufen nicht nur im Tumorgewebe, sondern auch im mitbestrahlten Normalgewebe ab. Die Strahlentherapie nutzt nun diese Unterschiede in Strahlensensibilität und Reparaturfähigkeit der verschiedenen Gewebe aus mittels unterschiedlicher zeitlicher Fraktionierung und Protrahierung der Bestrahlungen. (Die Tumorvernichtungsdosis ist in der Regel niedriger als die zur irreversiblen Schädigung gesunden Gewebes erforderliche Dosis.)

Die unterschiedliche Strahlensensibilität maligner Tumoren stellt die Summe aus klinischen, histologischen und zytologischen Gegebenheiten dar (Tumorgröße, Ausbreitungsstadium, Durchblutung, Differenzierung, eventuelle Vorbehandlung).

Häufiger ist es so, daß Metastasen (in Knochen, Gehirn, Lymphknoten) besser auf Bestrahlung ansprechen als der jeweilige Primärtumor, d.h. daß im Einzelfall durch palliative strahlentherapeutische Maßnahmen gute Remissionen erreicht werden können. Die Wirkung in Form von Symptom- und Schmerzbesserung beruht dabei wohl nicht nur auf Tumorrückbildung, Volumenreduktion und Druckabnahme, sondern wohl auch auf einer noch nicht geklärten Beeinflussung schmerzinduzierender Mediatorsubstanzen.

Nebenwirkungen und begleitende Behandlung

Insgesamt sollten bei palliativer Bestrahlung die akuten Nebenwirkungen nach Möglichkeit vermieden werden; eine Spättoxizität kann u.U. nach Abschätzbarkeit der Prognose riskiert werden.

Die Bestrahlungsfelder werden zur täglichen Reproduzierbarkeit auf der Haut markiert; es empfiehlt sich eine trockene Behandlung mit Puder, bei

stärkerem Erythem und feuchten Epitheliolysen (besonders gefährdete Hautareale: Interglutealfalten, Perineum, Axillen, Submammärfalten, Retroauri-
kulärregion) mit Salbe bzw. mit fett- und antibiotikahaltiger Gaze. Seifen,
Kosmetika, reibende enge Kleidungsstücke sowie direkte Sonneneinstrah-
lung auf bestrahlte Hautareale sollten vermieden werden. Am besten bewährt
sich lose Baumwollkleidung. Exulzerierte, superinfizierte Bezirke sollten mit
Antiseptika und Antibiotika behandelt werden. Frühreaktionen wie Abge-
schlagenheit und Müdigkeit sowie Nausea, Erbrechen, Anorexie, Mukositis
und gastrointestinale Störungen bei Mitbestrahlungen von Teilen des
Gastrointestinaltrakts können durch eine konsequent durchgeführte begleitende Behandlung in den meisten Fällen in für den Patienten kaum belastenden Grenzen gehalten werden (entsprechende Ernährung, evtl. hochkalori-
sche Kost, bei Bedarf parenterale Ernährung, hohe Flüssigkeitszufuhr, cave:
Herz-Nieren-Insuffizienz; Antiemetika, Antidiarrhoika). Die bei Bestrahlungen im Mund- und HNO-Bereich beeinträchtigte Speicheldrüsenfunktion mit
reduzierter Sekretion von zähflüssigem Speichel erschwert die Nahrungs-
aufnahme sowie die physiologische Mundreinigung und schädigt damit
Zahnfleisch und Zahnhalteapparat. Um so wichtiger ist eine intensivierte
Mundhygiene mit adstringierenden bzw. antimykotischen Mundspülungen
und Kariesprophylaxe durch tägliche Fluorbehandlung der Zähne.

Bei Bestrahlungen im Becken-Genital-Bereich empfiehlt sich ggf. die
Applikation von Suppositorien, Vaginalovula und Sitzbädern, bei bakteriell
besiedelter radiogener Zystitis die gezielte antibiotische Therapie.

Bei massivem therapieinduziertem Zellzerfall (z. B. große Bestrahlungsfelder bei Leukämien und Non-Hodgkin-Lymphomen) muß mit einer Hyper-
urikämie gerechnet werden (Alkalisierung des Harns, Allopurinol). Bei ausgedehnten Bestrahlungsfeldern (Schädigung des blutbildenden Knochen-
marks) sind 1- bis 2mal wöchentlich Blutbildkontrollen angezeigt.

Bei gezieltem Einsatz und sachgemäßer Durchführung der palliativen
Bestrahlung können heute Spätfolgen wie Atrophien, Fibrosen, Nervenschädigungen, Nekrosen, Ulzera, Stenosen und Fistelbildungen weitgehend vermieden werden. Gelegentlich – insbesondere bei fehlerhafter Bestrahlung,
Fehleinschätzung der Gesamtprognose mit Überschreiten der Toleranzdosen,
fehlender Berücksichtigung von Vorbestrahlungen – kommt es jedoch zu solchen therapeutisch kaum zu beeinflussenden Veränderungen.

Indikationen

Hauptindikationen zur palliativen Bestrahlung sind somit lokalisierte oder
diffuse osteolytisch-osteoplastische Knochenmetastasen, Wirbelkörper- oder
epidurale Metastasen mit oder ohne Querschnittsymptomatik, Lymphknoten-

metastasen bekannter und unbekannter Primärtumoren, Hautmetastasen, Lymphangiosis cutis carcinomatosa, Hirnmetastasen, Orbita- und Aderhautmetastasen, obere Einflußstauung, Bronchuskompression und/oder -obstruktion und Rektumkarzinomrezidive.

Des weiteren eignen sich nur mehr palliativ zu beeinflussende Primärtumoren bzw. Rezidive in Organen (HNO-Bereich, Magen-Darm-Trakt, Urogenitaltrakt) zur palliativen Bestrahlung. Voraussetzung ist die Ausschöpfung adäquaterer Therapiemethoden, nach Möglichkeit keine Vorbestrahlung, umschrieben faßbare Tumorausdehnung sowie die berechtigte Aussicht auf zumindest vorübergehende Tumorrückbildung (z. B. Bronchialkarzinom: kleinvolumig über Schrägfelder ohne Rückenmarkbelastung; Tracheal-Bronchial-Stenose: hochdosiert über einige Tage bei gleichzeitiger Kortisongabe und dann Reduktion der täglichen Einzeldosis; mediastinale Lymphknoten mit Kompression des Ösophagus; stenosierender Ösophagustumor). Beim Ösophaguskarzinom ist durch perkutane Bestrahlung eine Remission von durchschnittlich 6 Monaten zu erreichen; es empfiehlt sich die Laserresektion ggf. in Kombination mit intrakavitärer Bestrahlung; eine Alternative im mittleren und unteren Drittel ist das Einlegen eines Tubus.

Harnstauung durch Tumorkompression ist allenfalls kurzfristig zu bessern; eine Alternative ist die retrograde oder antegrade Ureterschienung. Bei Prostata-, Blasen- und Uteruskarzinom ist eine Remission durch Bestrahlung nur schwer und unter erheblichen Nebenwirkungen zu erzielen. Bei Blutungen gynäkologischer Tumoren ist die intrakavitäre Bestrahlung im Afterloadingverfahren u. U. vorzuziehen.

Seltenere Indikationen zur palliativen Bestrahlung sind Knochen- und Gelenkschmerzen sowie Milztumoren bei fortgeschrittenen Leukämien (oft schon auf niedrige Dosen ansprechend), Hautinfiltrate bei Leukämien und Non-Hodgkin-Lymphomen, Kaposi-Sarkominfiltrate bei Aids-Patienten und die Mycosis fungoides (evtl. Ganzhautbestrahlung mit Elektronen erforderlich). Eine meningeale Metastasierung im Schädelbasisbereich mit Hirnnervenausfällen läßt sich durch lokale Bestrahlung bessern.

In Einzelfällen sind palliative Erfolge zu erzielen bei Magenausgangsstenose und Lymphknotenkonglomeraten im Bereich der Leberpforte mit Druckgefühl, Ikterus, Hyperbilirubinämie und Juckreiz; auch größere oder diffuse Lebermetastasen (mit Kapselspannungsschmerz) können durch lokale perkutane Bestrahlung günstig beeinflußt werden (experimentell: intraarterielle Applikation von ^{90}Y; ca. 50% Ansprechrate).

Fortgeschrittene oder auch inflammatorische Mammakarzinome lassen sich mit höheren Dosen (bis 70 Gy) und evtl. in Kombination mit einer Hormon- oder Chemotherapie gut zur Rückbildung, evtl. sogar in einen operablen Zustand bringen.

Das Nachlaufen rezidivierender Perikardergüsse kann gestoppt oder verzögert werden (Alternative: Ableitung und Instillation obliterierender Substanzen).

Experimentell wurden beim Neuroblastom im Stadium IV und Phäochromozytom durch ^{131}I-MJBG (^{131}I-Metajodbenzylguanidin) Besserungen erreicht (Tumorregression, Fiebersenkung, Rückgang der Knochenschmerzen und Katecholaminsekretion).

Keine Indikationen zur palliativen Bestrahlung sind ausgedehnte Peritonealkarzinosen mit Aszites und Pleuraergüsse (Ausnahme: maligne Lymphome mit und ohne mediastinal nachweisbare Lymphknoten). Hier ist anderen Therapieverfahren (z. B. Ableitung und Instillation obliterierender Substanzen) der Vorzug zu geben. Ausgedehnte Wandinfiltration von Hohlorganen (Harnblase, Darm, Ösophagus, Tracheobronchialsystem) erhöhen die Fistelgefahr bei lokaler Bestrahlung.

Im folgenden werden die Hauptindikationen zur palliativen Strahlentherapie schematisch mit den jeweils relevanten Parametern dargestellt.

Hauptindikationen (Übersicht)

Verwendete Abkürzungen und Symbole

^{198}Au	radioaktives Gold
AZ	Allgemeinzustand
BB	Blutbild
BWS	Brustwirbelsäule
CEA	karzinoembryonales Antigen
^{60}Co	radioaktives Kobalt
^{137}Cs	radioaktives Cäsium
CT	Computertomographie
DD	Differentialdiagnose
E	Erythrozyten
ED	Einzeldosis
Gy	Gray (Maßeinheit der Energiedosis; 1 Gy = 100 rd = 1 J/kg)
HBI	„half body irradiation" (Halbkörperbestrahlung)
HWS	Halswirbelsäule
^{192}Ir	radioaktives Iridium
i. v.	intravenös
^{125}I, ^{131}I	radioaktives Jod
KF	Keilfilter
L	Leukozyten

LHBI	„lower half body irradiation" (untere Halbkörperbestrahlung)
LK	Lymphknoten
LWS	Lendenwirbelsäule
MBI	„mid body irradiation"
MR	Magnetresonanz (Kernspintomographie)
NHL	Non-Hodgkin-Lymphom
Op.	Operation, operativ
rad	„radiation absorbed dose" (alte Energiedosiseinheit; 1 rd = 0,01 Gy = 0,01 J/kg)
Rö	Röntgenuntersuchung, röntgenologisch
RP	Rechnerplan
^{89}Sr	radioaktives Strontium
SVCO	„superior vena cava obstruction" (obere Einflußstauung)
Thr	Thrombozyten
ÜLR, ÜLZ	Überlebensrate, Überlebenszeit
UHBI	„upper half body irradiation" (obere Halbkörperbestrahlung)
vd, vv	von dorsal, von ventral
WK	Wirbelkörper
WS	Wirbelsäule
^{90}Y	radioaktives Yttrium
↑	zunehmend, ansteigend
↓	abnehmend, fallend
→	daraus folgt, folglich, daraus ergibt sich
>	größer als, häufiger als
<	kleiner als, weniger häufig als
~	ungefähr, etwa
Ø	kein, keine; durchschnittlich, im Mittel
⫫	Bestrahlung, Strahlen-

Knochenmetastasen

Bestrahlungs-indikation:
- Schmerzen, Bewegungseinschränkung, Frakturgefahr
- drohende Querschnittslähmung
- Hirnnervenausfälle (Schädelbasis)

Diagnostik:
- Knochenscan (Osteoblastentätigkeit!)
- Rö-Nachweis
- *Scan:* Sensitivität 90–95%, Spezifität 70–80%
  Rö: Sensitivität 60–70%, Spezifität 95–100%
- in Zweifelsfällen (WS, Becken, Schädelbasis)
  → CT, MR (paraossärer Weichteiltumor)
- Laborparameter (alkalische Phosphatase ↑, Tumormarker ↑)
- bei Erstmanifestation evtl. Nadelbiopsie

Bestrahlungs-
technik und -dosis:

- i.allg. großräumige Bestrahlung empfehlenswert (Einschluß des gesamten befallenen Knochens; WS: 1-2 WK kranial und kaudal der Läsion)
- distale Extremitäten, Wirbelsäule: Stehfelder (Abb.1); bei großen Herdtiefen, Beckenskelett: Gegenfelder
- bei HWS evtl. seitliche Gegenfelder (Abb.2) (Schonung von Kehlkopf und Ösophagus)
- Rippen, Schädelkalotte,   Tangentialfelder, ½ mit Elektronen Scapula:
- Becken, Wirbelsäule: fraktionierte ½
                          30-40 Gy/2-4 Wochen
                          (*cave:* Toleranzdosen!)
- kleinere Knochen: höhere ED
                          5-10-15 Gy/1 Fraktion
                          (Wiederholung nach Bedarf)
- durch unterschiedliche Dosierung/Fraktionierung → keine signifikante Differenz in Einsetzen, Ausmaß und Dauer der Schmerzbesserung

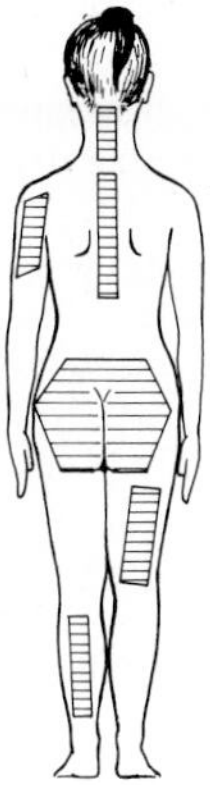

Abb. 1. Bestrahlungsfelder bei Knochenmetastasen. (Mod. nach Montague u. Delclos 1980)

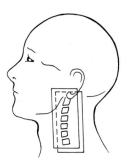

Abb. 2. Bestrahlungsfelder bei HWS-Metastasen.
(Mod. nach Montague u. Delclos 1980)

Erfolgsquote:

- *subjektiv* Schmerzfreiheit   20-30%
              Schmerzbesserung   60-70%
              keine Besserung   ~10%
              Einsetzen rasch, 1-2 Wochen nach Beginn der ½
              mittlere Dauer ca. 12 Monate
- *objektiv:* Rekalzifizierung   ~70%
              Status idem   15-20%
              Progression   ~10%
              Rekalzifizierung 3-4-6 Monate nach ½ beginn,
              mittlere Remissionsdauer 10 Monate

112   K. Schüle-Hein

Komplikationen: – *Myelosuppression* bei gleichzeitiger ↯ oder nach Chemotherapie (bei großen ↯feldern → regelmäßige BB-Kontrollen!)
– *Beckenbereich:* Harnblase und Darm aussparen, insbesondere
in Kombination mit Chemotherapie, evtl. Antiemetika und
Antidiarrhoika
– bei *Fraktur* von Röhrenknochen → zusätzlich chirurgisch-
orthopädisch stabilisierende Maßnahmen (bei Osteolyse >
3 cm ∅ → Op.)
Zur weiteren Stabilisierung meist postoperative ↯ angezeigt,
ca. 1 Woche nach Op. (*cave:* ↯absorption und -streuung des
Metalls → Unter-/Überdosierung ∼20%)
– *Hyperkalzämie:* 10–30% bei ausgedehnter Skelettmetastasierung, spontan oder in Kombination mit Hormon- bzw. Chemotherapie (jedoch auch bei Tumoren ohne Knochenbeteili-
gung)
– *Symptome:* Übelkeit, Erbrechen, Durchfälle; Polyurie → Olig-
urie → Anurie; Muskelhypotonie; Darmatonie

Begleitende   – Analgetika
Behandlung: – Entlastung (z. B. Krücken, Rollstuhl), nicht Immobilisation
– evtl. Hormon- bzw. Chemotherapie

Drohende, inkomplette (+ komplette) Querschnittslähmung

Bestrahlungs-   – (beginnende) Querschnittssymptomatik
indikation: – Schmerzen mit radikulärer Symptomatik, motorische Ausfälle,
Sensibilitätsstörungen, Blasen-Mastdarm-Störungen
→ bei strahlensensiblen Tumoren (z. B. Seminome, Lymphome
. . .),
→ bei Ausdehnung über mehrere Segmente,
→ bei ausgedehnt metastasierendem Tumor

Diagnostik: – neurologischer Untersuchungsbefund mit Segmenthöhe der
Läsion
– Rö-Nativaufnahmen der WS + evtl. Tomogramm (ossäre
Destruktionen, Aufweitung von Spinalkanal oder Foramen
intervertebrale: Rö >2/3 → ossäre Veränderungen)
– Myelographie (Darstellung des kranialen und kaudalen
Stopps)
– CT (bessere Nachweisbarkeit ossärer Veränderungen, Ein-
wachsen paravertebraler Prozesse)
– MR (exakte Längenausdehnung; intraspinale Raumforderung)
– DD: Primärtumor (Neurinom, Meningeom . . .): Metastasen;
evtl. Tumormarker

Bestrahlungstechnik
und -dosis:

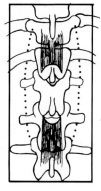

- bei *drohender* Querschnittslähmung ↯ innerhalb von 8-12 h erforderlich
- ↯ über dorsales Stehfeld ausreichender Länge und Breite (evtl. paravertebrale Raumforderung)
  - Feldgrenzen in Zwischenwirbelräume legen (Abb. 3)
  - Herdtiefe: ca. 5 cm (HWS); 7-8 cm (BWS, LWS)
- 30-40 Gy / 2-4 Wochen
  anfangs hohe tägliche ED: 4-5 Gy für 2-3 Fraktionen, dann ED reduzieren auf 2-3 Gy

Abb. 3. Bestrahlungsfeld bei intraspinalen, epiduralen oder ossären bzw. paravertebralen Prozessen

Morbidität:

- i. allg. gering
- evtl. anfangs Zunahme der Symptomatik durch radiogenes Ödem (Kortikoidgaben i. v.)

Erfolgsquote:

- bei ↯ ohne zeitliche Verzögerung → rasche Rückbildung der Symptomatik zu erwarten
- insgesamt nur ca. 50% der Patienten wieder gehfähig
- durch Op. werden ähnliche Ergebnisse erzielt

Alternative:

- *operative Entlastung* (Laminektomie ± WK-Fusion) (meist 3.-7. Tag postoperativ ↯ indiziert)
  - insbesondere bei frischer kompletter Querschnittslähmung
  - bei kompletter Wirbelkörpersinterung
  - unklarer Diagnose und Histologie
  - vorausgegangener ↯
  - Verschlechterung 48-72 h nach ↯ beginn

- *Nachteile:* Instabilität, Resttumor, Dehiszenz, Liquorfistel, Mortalität 5-10%
- *Kontraindikation:* totale Paraplegie < 12 h, Sphinkterverlust < 24 h, massiver Sensibilitätsverlust, unkontrollierte Metastasierung

(Sequentielle) Halbkörperbestrahlung (HBI)

Bestrahlungs-
indikation:

- disseminierte schmerzhafte Knochenmetastasen (Mammakarzinom, Prostatakarzinom, Bronchialkarzinom, Plasmozytom …)
- disseminierte (schmerzhafte) Lymphome

Diagnostik: Knochenscan, Rö, CT, Sonographie

Bestrahlungs-
technik und -dosis:
- einzeitig hochdosierte γ der *unteren Körperhälfte* (LHBI) 8–10 Gy
- einzeitig hochdosierte γ der *oberen Körperhälfte* (UHBI) 6–8 Gy
- Beginn mit der schmerzführenden Körperhälfte (Feldgrenze Beckenkamm → tätowieren) (Abb. 4)
- evtl. Kompensation der unregelmäßigen Körperoberfläche durch Bolusmaterial (Abb. 5); Dosiskorrektur der unterschiedlichen γ absorption durch die Lunge
- evtl. Abdeckung von Augen, Mund, Parotis
- γ über ventrodorsale Gegenfelder mit niedriger Dosisleistung (0,15–0,50–1,25 Gy/min)
- Intervall zwischen γ beider Körperhälften 6–8 Wochen
- γ der oberen Körperhälfte unter stationären Bedingungen

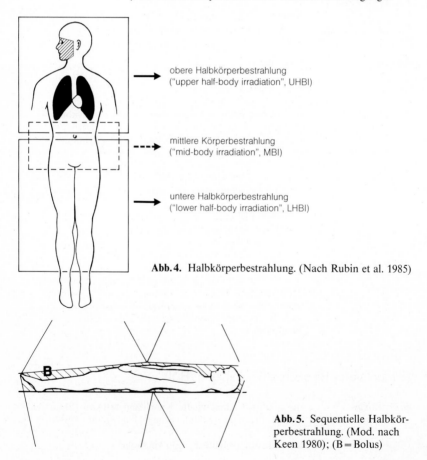

obere Halbkörperbestrahlung
("upper half-body irradiation", UHBI)

mittlere Körperbestrahlung
("mid-body irradiation", MBI)

untere Halbkörperbestrahlung
("lower half-body irradiation", LHBI)

Abb. 4. Halbkörperbestrahlung. (Nach Rubin et al. 1985)

B

Abb. 5. Sequentielle Halbkörperbestrahlung. (Mod. nach Keen 1980); (B = Bolus)

Erfolgsquote: - *Schmerzbesserung* ~80%: ~20% komplett, ~60% befriedigend
(50% innerhalb 12-48 h; 80% <1 Woche)
Dauer der Schmerzbesserung: im Mittel 6 Monate
(1-14 Monate)
- *objektivierbare Befundrückbildung* in ca. 50% der Fälle
- *Überlebenszeit* nicht sicher beeinflußbar (im Mittel 30 Wochen)

Morbidität - Übelkeit, Brechreiz, Erbrechen, Anorexie für 4-6 h nach $\frac{1}{2}$
und begleitende - Mundtrockenheit, Geschmacksverlust, Parotitis innerhalb 24 h
Behandlung: - multiple Diarrhöen 4-5 Tage nach $\frac{1}{2}$
- Alopezie (nach 10-14 Tagen)
- Myelosuppression nach 10-14 Tagen, Dauer: 6-8 Wochen
- interstitielle Pneumonitis 6 Wochen nach $\frac{1}{2}$ (UHBI >6 Gy,
insbesondere bei fehlender Lungenkorrektur)
- Spätfolgen: Sterilität, Katarakt (vernachlässigbar)
- *begleitende Behandlung:* i.v.-Hydratation 12 h vorher, Sedierung vor, während und nach der $\frac{1}{2}$, Kortikoide, Antiemetika

Risiken: - Blutbild: E <3·10^6; L <4000; Thr <150-100000
- eingeschränkte Nieren- und Leberfunktion
- vorausgegangene Lungen- und Mediastinal $\frac{1}{2}$
- ausgeschöpfte Rückenmarktoleranz
- intensive vorausgegangene Chemotherapie (Adriblastin, Bleomycin, Cisplatin)

Alternative: - bei kleinherdig-disseminierter Metastasierung → zunächst
Hormon- bzw. Chemotherapie
- nach Ausschöpfung der therapeutischen Möglichkeiten →
nuklearmedizinische Behandlung mit ^{90}Y, ^{89}Sr (Schmerzbesserung 50-90%)
- bei radiojodspeichernden Schilddrüsenkarzinommetastasen
Behandlung mit ^{131}I

Hirnmetastasen

Bestrahlungs- - solitäre nichtoperable oder multiple Hirnmetastasen mit oder
indikation: ohne neurologisch-psychiatrischer *Symptomatik*
(Kopfschmerzen > motorische Ausfälle >mentale Störungen
> Benommenheit > Hirnnervenausfälle > zerebellare Symptome > Sensibilitätsstörungen > fokale Anfälle)

Diagnostik: - neurologischer Untersuchungsbefund
- CT (hypo- und/oder isodense Zone mit perifokalem Ödem;
nach KM-Gabe Enhancement. DD: Abszeß, Blutung, insbesondere bei Erstmanifestation der Metastasierung)
- MR
- Nachweis des metastasierenden Tumors (Bronchialkarzinom
> Mammakarzinom > ...), Tumormarker

Bestrahlungs-   – mit Megavolttechniken ↯ des gesamten Hirnschädels (⅔ der
technik und -dosis: Hirnmetastasen →multipel)
    – evtl. kleinvolumiger Boost
    – Feldgrenze: Oberrand Orbita – Oberrand Meatus acusticus
    externus – Foramen magnum (Abb. 6), bei meningealem Befall
    (NHL, Leukämien) → Einbeziehung der Schädelbasis und der
    zerebralen Liquorräume → tiefgezogen bis C_2
    – ↯ über seitliche Gegenfelder, tägliche ↯ beider Felder
    30 Gy / 10 Fraktionen 12 Gy / 2 Fraktionen
    20 Gy / 5 Fraktionen 10 Gy / 1 Fraktion
    – einschleichende Dosierung nicht erforderlich
    – Dosis/Fraktionierung → je nach Zustand des Patienten, pro-
    spektiver ÜLZ, zumutbarer Beeinträchtigung, Zeit, Kostenfak-
    toren

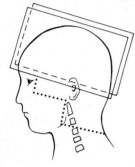

Abb. 6. Hirnschädelbestrahlung
(bei Metastasen, bei NHL + menigealem Befall)

Morbidität: – in 80% der Fälle ohne gravierende Nebenwirkungen
    – gelegentlich Zunahme der Hirndruckzeichen (Übelkeit, Erbre-
    chen, Kopfschmerzen)
    – radiogene Alopezie, vorübergehend

Erfolgsquote: – abhängig vom neurologischen Status; insgesamt 50%, bei
    Beurteilung von Einzelsymptomen: 80%
    – durchschnittliche ÜLZ 4–6 Monate; 5–15% Langzeitüberle-
    bende (>1 Jahr)
    (unbehandelt: 1 Monat, nur mit Kortison: 8–10 Wochen)
    – durch unterschiedliche Dosierung/Fraktionierung → kein
    signifikanter Unterschied der Ergebnisse
    – trotz Behandlung sterben ca. 50% der Patienten an progre-
    dienter Hirnmetastasierung
    – Kontroll-CT u. U. schwierig zu korrelieren mit klinischem
    Befund (DD: Nekrose, Tumor; evtl. MR)

Begleitende   – entwässernde Therapie (Kortikoide, Diuretika) nicht routine-
Behandlung: mäßig erforderlich → keine signifikante Verbesserung der
    Ergebnisse, jedoch
    → Rückbildung von Hirndruckzeichen und Besserung von AZ
    und neurologischem Status (insbesondere bei schlechtem
    Zustand)

ł besser verträglich, Erfolg tritt rascher ein
(z. B. Decadronphosphat i. v., initial 12-16 mg, alle 4-6 h 4 mg;
Ausschleichen; bei Umstellung auf orale Medikation Äquivalenzdosen beachten)
- bei Bedarf Anfallsprophylaxe

Alternative: - *Operation* bei Solitärmetastase ohne sonstige Metastasierung
und gut behandelbarem Primärtumor,
bei günstiger Lokalisation und Nichtansprechen auf ł oder
Rezidiv nach ł (nach längerer Remission evtl. erneute ł serie)
- interstitielle lokal hochdosierte ł (^{198}Au, ^{125}I, ^{192}Ir) durch CT-
gesteuerte stereotaktische Implantation
(kleinvolumiger Tumor, tiefsitzender, nichtresektabler Tumor,
nach Op. und/oder ł, Rezidiv nach Op. oder ł)

Augen- (Aderhaut-)Metastasen

Bestrahlungs-   *Orbitametastasen:* Druck- und Engegefühl im Orbitabereich;
indikation: Druck auf den Bulbus mit Verlagerung → Exopthalmus;
Druck auf und Infiltration von Augenmuskeln und Nerven
→ Sehstörungen (Doppelbilder)
Aderhautmetastasen: ein- oder beidseitige Visusverschlechte-
rung (mit drohender Erblindung),
Schmerzen erst bei vollständiger Ablatio oder Sekundärglau-
kom

Diagnostik: - Nachweis des metastasierenden Tumors (Mammakarzinom
> Bronchialkarzinom > NHL > ...);
Metastasierungsort bei Bulbusmetastasen: Chorioidea > Iris
> Ziliarkörper
- Opthalmoskopie: umschriebene Prominenz in Aderhaut, meist
am hinteren Augenpol,
Amotio (evtl. + seröse Begleitamotio)
- DD: im Anfangsstadium Chorioretinitis, Gefäßverschluß;
Aderhautmelanom (bei Erstmanifestation der Metastasierung)
- Sonographie
- CT (Ausschluß einer zusätzlichen Raumforderung)

Bestrahlungs-   - ł über direktes oder seitliches Feld (Schonung der Linse:
technik und   Dosis < 10 Gy) (Abb. 7)
-dosis: - bei Orbitametastase ≙ Tumorausdehnung evtl. ł nach RP
- Megavolttechniken vorzuziehen (Photonen, Elektronen)

Abb. 7. Bestrahlungsfeld bei Augenbestrahlung.
(Nach Montague u. Delclos 1980)

- ultraharte Photonen: Feldgröße 4·4 cm, 2–3° Dorsalabwinkelung (zur Schonung der kontralateralen Linse)
  Herdtiefe: 3–4 cm; bei beidseitiger Metastasierung → seitliche Gegenfelder
- ^{60}Co: Feldgröße 5·5 cm; 5° Dorsalabwinkelung des ⁴бündels
- Dosierung: 10·3 Gy (am besten bewährt; bei Rezidiv nach längerer Remission → erneute ⁴ möglich)
  bei Orbitametastasierung → evtl. höhere Dosierung

Morbidität:
- i. allg. keine; gelegentlich Konjunktivitis
- Katarakt (bei direktem Feld oder zu hoher Linsenbelastung durch seitliches Feld bzw. ⁴ nach RP → bei abnehmender Lebenserwartung meist nicht von Bedeutung)

Begleitende Behandlung:
- systemische Therapie (bei anderweitiger Tumormanifestation)
- Kortikoide (Rückbildung der serösen Begleitamotio → Visus ↓)

Remissionsquote:
- in ca. 80% der Fälle Besserung des Sehvermögens und Verhinderung des Rezidivs
- nach 1–2 Monaten ophthalmologischer Nachweis der Befundbesserung
- mediane ÜLZ: 10–12 Monate

Alternative:
- auch durch Hormon- oder Chemotherapie Regression erreichbar
- bei weit fortgeschrittenem durch ⁴ nicht beeinflußbarem Aderhauttumor oder Sekundärglaukom durch Tumornekrose nach ⁴ → Enukleation

Hautmetastasen, Lymphangiosis carcinomatosa, Lymphknotenmetastasen

Bestrahlungsindikation:
- einzelne kleine bis rasenförmig konfluierende Hautmetastasen mit Infiltration peripherer Nerven, Schmerzen, Ulzerations- und Blutungsneigung (z. B. Mammakarzinom)
- beetförmige Beteiligung großer Hautareale (Leukämie, NHL, Mycosis fungoides, Kaposi-Sarkominfiltrate bei Aids-Patienten)
- LK-Metastasen bekannter und unbekannter Primärtumoren, +/– Druck auf Gefäß-Nerven-Strukturen (Schmerzen, Lymphödem, Nervenschädigung)

Diagnostik:
- Inspektion, Palpation, Sonographie, CT
- histologische Sicherung; ggf. Hormonrezeptorbestimmung

Bestrahlungstechnik und -dosis:
Hautmetastasen, Lymphangiosis carcinomatosa
- zunächst großvolumige ⁴ (40–50 Gy/4–5 Wochen; Tangentialfelder, Elektronen) mit Bolus zur Erhöhung der Dosis in der

Abb. 8. Tangentiale Bestrahlung von Thoraxwandprozessen (Haut, Rippen, Scapula; *KF* Keilfilter)

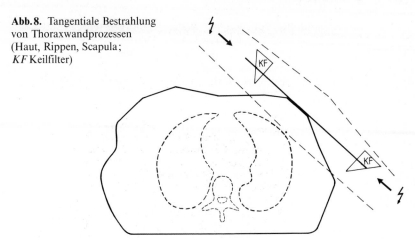

Haut, evtl. Keilfilterkompensation zum Ausgleich unregelmäßiger Körperkonturen (Abb. 8) → dann kleinvolumige Höherdosierung (+ 20–30 Gy)
- evtl. Hyperfraktionierung (2- bis 3mal tägliche ⚡ mit reduzierter ED; z. B. Melanommetastasen, inflammatorisches Mammakarzinom)

Lymphknotenmetastasen
- zunächst ⚡ über ventrodorsale Gegenfelder, dann evtl. kleinvolumig mit Elektronen
- bei Exulzeration und Blutung → hohe ED (5–10 Gy), nach Bedarf Wiederholung

Morbidität:
- Hautrötung, (konfluierende) Epitheliolysen, evtl. mit Superinfektion
- Teleangiektasien, Hautatrophie
- Pigmentierung, Depigmentierung

Erfolgsquote:
- in ca. 50% der Fälle Beherrschung der lokalen Symptomatik (meist nur vorübergehend)

Begleitende Behandlung:
- operative Reduktion bzw. Entfernung, evtl. mit plastischer Deckung
- intensive Lokalbehandlung (bei Bedarf fett- und antibiotikahaltige Gaze und Salben, antiseptische Lösungen)
- Hochlagerung der betroffenen Extremität
- evtl. gleichzeitig Hormon- bzw. Chemotherapie

Komplikationen, Folgezustände:
- schlecht heilende Ulzera
- subkutane Fibrose
- Lymphödeme
- Plexusschädigung

insbesondere bei fehlerhafter ⚡, Überdosierung, ⚡ Vorbelastung

Obere Einflußstauung, Vena-cava-superior-Syndrom (SVCO)

Bestrahlungs-
indikation:
- Symptome durch Kompression und/oder Thrombose bzw. Invasion der V. cava superior
- nichtchemosensible Tumoren, Metastasen, unbekannter Primärtumor
- Symptome

thorakal	*zerebral*
Ödem Zyanose 40%,	Kopfschmerzen,
Dyspnoe, Orthopnoe,	Schwindel,
Husten 20%,	Sehstörungen,
Heiserkeit, Dysphagie 20%,	Krämpfe,
Thoraxschmerzen 20%,	Stupor, Koma
Hämoptoe	

- Umgehungskreisläufe → zur V. cava inferior in Abhängigkeit von Sitz und Ausmaß des Verschlusses, zeitlichem Ablauf und Funktionsfähigkeit der Kollateralsysteme

Diagnostik:
- Rö Thorax, evtl. Tomographie, Phlebographie, CT
- im akuten Stadium → weitere Diagnostik meist nicht möglich (z.B. histologische Sicherung durch Mediastinoskopie, Bronchoskopie, Thorakotomie; Bronchiallavage + Zytologie)
- Primärtumor: Bronchialkarzinom > maligne Lymphome > Struma maligna > malignes Thymon > Mammakarzinom

Bestrahlungstechnik
und -dosis:
- Megavolttechniken, nach Möglichkeit ventrodorsale Gegenfelder
- evtl. ∤ in sitzender Position
- Einbeziehung evtl. hilärer, supraklavikulärer und zervikaler LK (Abb. 9)
- i. allg. 30 Gy/10 Fraktionen; anfangs hohe ED (3mal 4–5 Gy)
- anschließend evtl. kleinvolumige Höherdosierung (≙ Reaktion und Primärtumor → + 20–30 Gy)

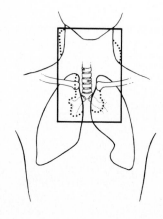

Abb. 9. Bestrahlungsfeld bei oberer Einflußstauung bzw. mediastinalen, hilären, supraklavikulären und zervikalen Prozessen

Morbidität:	– bei obiger Dosierung und Fraktionierung → keine Gefahr des radiogenen Ödems (cave: ausgeprägte Bronchial- bzw. Trachealstenose)
Erfolgsquote:	– in 50–70% der Fälle rasche Besserung der akuten Symptomatik (< 14 Tagen) – Dauer der Besserung abhängig von Primärtumor und möglicher Gesamtbehandlung
Supportive Maßnahmen:	– Lagerung in halbsitzender Position – bei Zyanose → O_2-Zufuhr – venöser Zugang evtl. über untere Extremität – Diuretika und Kortikoide – Heparinisierung, evtl. Marcumarisierung (→ rascheres Ansprechen, Gesamtergebnisse nicht verbessert) – Bronchosekretolytika
Alternative:	– *Chemotherapie* bei chemosensiblem Tumor Progression unter ⌀, Rezidiv nach ⌀, ausgedehntem Mediastinalbefall, erheblichen Beschwerden durch andere Tumormanifestationen, Fehlen einer ⌀möglichkeit

Rektumkarzinomrezidiv

Bestrahlungsindikation:	– histologisch gesichertes oder klinisch vermutetes Lokalrezidiv, vorwiegend nach abdominoperinealer Rektumamputation – *Symptomatik:* Schmerzen in Sakralbereich, Druckgefühl im Perinealbereich *neurologisch:* ischialgiforme Beschwerden, – Reithosenan- und -hypästhesie, – Blasenentleerungsstörung, – Paresen
Diagnostik:	– CEA-Verlauf; Rö Becken; Knochenscan – CT, MR Becken – histologische Sicherung nicht unbedingt erforderlich
Bestrahlungstechnik und -dosis:	– *palliative Indikation:* möglichst kleinvolumige ⌀ nach CT und RP – *in „kurativer" Absicht:* nach Ausschluß anderweitiger Metastasen ⌀ des Beckens großvolumig über ventrodorsale Gegenfelder (Satellit auf Anus praeter vv, evtl. Kippung des Strahlenbündels 10–20° nach kaudal-dorsal: Schonung des äußeren Genitale; Perinealbereich besser erfaßt; Abb.10 und 11)

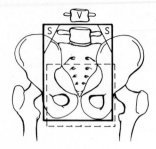

Abb. 10. Bestrahlung des Beckens unter Einbeziehung der LK (kleinvolumiger: *gestrichelte Linie*); S = Satellit

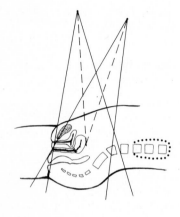

Abb. 11. Bestrahlung des Beckens über nach kaudal dorsal gekippte Felder

- Boost auf Tumorbereich nach CT und RP
- *palliativ:* ≙ allgemeine Verträglichkeit und Ansprechen
- *„kurativ":* 40–50 Gy großvolumig Becken + 20–30 Gy kleinvolumig Tumorbereich

Morbidität:
- Diarrhöen
- radiogene, evtl. bakteriell besiedelte Zystitis
- Epitheliolysen im Perinealbereich; Vaginalmykose
- evtl. vorübergehend zunehmende Stenosierung nach kontinenzerhaltender Op.

Erfolgsquote:
- Besserung der Symptomatik ca. 85%:
  komplett ca. 35%,
  partiell ca. 50%,
  keine Besserung ca. 15%
- Dauer: durchschnittlich 6 Monate, durchschnittliche ÜLZ 12–18 Monate
- CEA-Spiegel ↓
- auch Langzeitremissionen bei fehlender anderweitiger Metastasierung: ÜLZ (5 Jahre): 10–15%

Alternative: – bei Nichtansprechen neurochirurgische bzw. anästhesiologische Schmerzbekämpfung
– bei Rezidiv nach kontinenzerhaltender Op. mit Obstruktion,
Ulzeration, Blutung
→ erneute Resektion mit oder ohne Anlage eines Anus praeter,
→ kryochirurgische Maßnahmen, Laserresektion, intrakavitäre
lokal hochdosierte ⁴⁄ ,
evtl. Chemotherapie

Literatur

Bates TD (1984) Radiotherapy in terminal care. In: Saunders C (eds) The management
of terminal malignant disease, 2nd edn. Arnold, Baltimore Md, pp 133–138
De Vita VT jr, Hellman S, Rosenberg SA (eds) (1985) CANCER – Principles & Prac-
tice of Oncology. Lippincott, Philadelphia
Dobbs J, Barrett A (1985) Practical radiotherapy planning, Royal Marsden Hospital
practice. Arnold, London
Dold U, Sack H (³1985) Praktische Tumortherapie. Thieme, Stuttgart New York
Fitzpatrick PJ, Rider WD (1976) Half body radiotherapy. Int J Radiat Oncol Biol Phys
1: 197–207
Gallmeier WM, Bruntsch U, Röttinger EM, Betzler M (1982) MMW Taschenbuch –
Praktische Onkologie – Jahrbuch 1982. MMW Medizin Verlag, München
Gilbert HA (ed) (1984) Modern radiation oncology. Classic literature and current
management, vol 2. Harper & Row, Philadelphia
Heilmann HP (1985) Palliative Therapie – Indikation, Probleme, Ergebnisse. In: Heil-
mann HP (Hrsg) Aktuelle Onkologie 23. Zuckschwerdt, München Bern Wien
Hendrickson FR (1977) The optimum schedule for palliative radiotherapy for meta-
static brain cancer. Int J Radiat Oncol Biol Phys 2: 265
Keen CW (1980) Half body radiotherapy in the management of metastatic carcinoma
of the prostate. J Urol 123: 713–15
Montague ED, Delclos L (³1980) Palliative Radiotherapy in the Management of Meta-
static Disease. In: Fletcher GH (ed) Textbook of Radiotherapy. Lea & Febiger,
Philadelphia, pp 943–48
Perez CA, Brady LW (1987) Principles and practice of radiation oncology. Lippincott,
Philadelphia
Rubin P, Salazar O, Zagars G (1985) Systemic hemibody irradiation for overt and
occult metastases. Cancer 55: 2210–2221
Salazar OM, Rubin P, Hendrickson FR et al (1986) Single dose half body irradiation
for palliation of multiple bone metastases from solid tumors. Cancer 58: 29–36
Scherer E (Hrsg) (³1987) Strahlentherapie – Radiologische Onkologie. Springer, Berlin
Heidelberg New York Tokyo
Sholl BA, Parbhoo S (eds) (1983) Bone metastasis: Monitoring and treatment. Raven,
New York
Winkler C (ed) (1986) Nuclear medicine in clinical oncology – current status and
future aspects. Springer, Berlin Heidelberg New York Tokyo

Internistische Therapie

E. D. Kreuser und F. Porzsolt

Kausale Schmerztherapie

Die internistische kausale Schmerztherapie kann entweder mit Zytostatika bzw. Hormonen oder mit Medikamenten erfolgen, die gegen die Ursachen des Schmerzes gerichtet sind. Die Wirksamkeit von Zytostatika oder Hormonen bei Schmerzen beruht einerseits auf der zytotoxischen Hemmung der Proliferation von Tumorzellen und andererseits auf der Synthesehemmung von Mediatorsubstanzen, die Schmerzen induzieren können (Twycross u. Lack 1983). Darüber hinaus haben die meisten Zytostatika eine antiphlogistische Wirkung, v. a. die Antibiotika Adriblastin, Bleomycin und Mitomycin C sowie die Antimetaboliten Methotrexat und 5-Fluoruracil (Kleeberg et al. 1986).

Liegen Schmerzen bei der Erstmanifestierung oder bei einem Rezidiv einer malignen Erkrankung vor, muß abgeklärt werden, ob der Patient durch Chemotherapie, chirurgische Maßnahmen und/oder Strahlentherapie potentiell heilbar ist (Tabelle 3) oder lediglich ein langfristiges (Tabelle 4) bzw. nur kurzfristiges, palliatives Therapieziel (Tabelle 5) gegeben ist. Die Aggressivität der zytostatischen Chemotherapie richtet sich nach dem Therapieziel. Eine absolute Indikation auch zur aggressiven Therapie ist gegeben, wenn der Patient kurativ therapiert werden kann oder gute Aussichten auf eine längerfristige Remission bestehen. Eine relative Indikation ist gegeben, wenn durch eine systemische antineoplastische Therapie die Lebensqualität verbessert oder das Überleben verlängert werden kann. Eine Verbesserung der Lebensqualität durch systemische Therapie kann durch Schmerzreduktion, aber auch durch Mobilisierung, Funktionsverbesserung von Organen oder Beherrschung von Stoffwechselentgleisungen erreicht werden. Kontraindikationen gegen eine zytostatische Chemotherapie bestehen bei moribunden Patienten mit einem Karnofsky-Index unter 20 (Tabelle 1), bei schlechter Ansprechrate und fehlender klinischer Symptomatik sowie bei Vorliegen von schweren Organfunktionsstörungen, welche eine Elimination verabreichter Zytostatika nicht erlauben (Senn 1985). Ebenso ist bei zytostatisch ausbehandelten Patienten eine kausale zytostatische Schmerztherapie nicht mehr indiziert.

Außer mit Zytostatika bzw. Hormonen kann eine kausale Schmerztherapie bei Patienten mit malignen Erkrankungen mit Medikamenten erfolgen, welche die Ursache des Schmerzes beheben oder reduzieren. So ist bei schmerzauslösenden Infektionen eine Therapie mit Antibiotika, Antimykotika oder Virostatika indiziert. Bei Nervenkompression, Wurzelirritation oder Weichteilinfiltration durch einen malignen Tumor können Glukokortikoide zu einer Schmerzreduktion führen. Kommt es durch Tumorzellen zur Infiltration oder Kompression von Lymphbahnen mit schmerzhafter Ödembildung, kann eine diuretische Therapie Schmerzen und Ödeme beseitigen. Bei Spannungsschmerzen der Leber können Kortikoide eingesetzt werden; bei Koliken der Hohlorgane kann durch eine Therapie mit Spasmolytika eine Schmerzkontrolle erzielt werden. Bei Lagerungsschmerzen aufgrund von Myogelosen sind Sedativa oder Muskelrelaxanzien indiziert. Liegen osteoporotisch bedingte Schmerzen vor, die durch Immobilisation oder Steroide bedingt sind, kann eine Therapie mit Natriumfluorid und Kalzium durchgeführt werden (detaillierte Darstellung s. S. 25). Bei Knochenschmerzen infolge eines chronischen Östrogendefizits bei zytostatikabedingter Ovarialinsuffizienz ist eine lebenslange Hormonsubstitution indiziert, um das Risiko der Osteoporose und von Frakturen zu verringern.

Grundsätze internistischer Tumortherapie

Indikation

Eine systemische Tumortherapie darf nicht bei Verdacht, sondern nur bei nachgewiesenem malignem Tumor durchgeführt werden. Als Beweismittel dienen in der Regel die Histologie, evtl. auch die Zytologie oder tumorspezifische Marker. Die Indikation für eine Zytostatika- oder Hormontherapie richtet sich nach dem Therapieziel (Tabellen 3–5), dem Allgemeinzustand und der Leistungsfähigkeit des Patienten (Tabelle 1), dem Einverständnis des aufgeklärten Patienten sowie der Krankheitsbilanz. Unter Krankheitsbilanz wird die Ermittlung der aktuellen Tumorausdehnung, der Metastasierung und der subjektiven Beschwerden verstanden, welche das Resultat aller Untersuchungsergebnisse darstellt (Senn 1985).

Stadieneinteilung

Zur Beschreibung der Tumorausdehnung dient einerseits die exakt gemessene Tumorfläche, beziehungsweise das Tumorvolumen des Primärtumors oder der Metastasen, andererseits die Stadieneinteilung. Dafür steht für jeden

Primärtumor eine Stadienklassifikation zur Verfügung. Unterschieden werden die klinische Stadieneinteilung, die mit Hilfe klinischer Parameter definiert wird, und die pathologische Stadieneinteilung, die aufgrund histologischer Untersuchungen nach endoskopischer und/oder chirurgischer Exploration bestimmt wird. Das Einteilungsprinzip des TNM-Systems (Hermanek et al. 1987) ist eine Beschreibung der Größe und der Nachbarschaftsbeziehung des Tumors, getrennt für den Primärtumor (T), für die regionalen Lymphknoten (N) und für die Fernmetastasen (M). Für einige maligne solide Tumoren existieren neben der TNM-Klassifikation zusätzliche Stadieneinteilungen unter der Vorstellung, therapeutische Konsequenzen und Prognosen exakter beschreiben zu können (Schmoll u. Fink 1987). Für akute Leukämien liegen keine Stadieneinteilungen vor, da es sich stets um disseminierte Erkrankungen des gesamten myelopoetischen Systems handelt. Die allgemeinen Definitionen der TNM-Klassifikationen sind folgende:

T   Primärtumor

TX   Primärtumor kann nicht beurteilt werden
T0   Kein Anhalt für Primärtumor
Tis   Carcinoma in situ
T1, T2, T3, T4   Zunehmende Größe und/oder lokale Ausdehnung des Primärtumors

N   Regionäre Lymphknoten

NX   Regionäre Lymphknoten können nicht beurteilt werden
N0   Keine regionären Lymphknotenmetastasen
N1, N2, N3   Zunehmender Befall regionärer Lymphknoten

M   Fernmetastasen

MX   Das Vorliegen von Fernmetastasen kann nicht beurteilt werden
M0   Keine Fernmetastasen
M1   Fernmetastasen
Die Kategorie M1 kann wie folgt spezifiziert werden:

Lunge	PUL	Knochenmark	MAR
Knochen	OSS	Pleura	PLE
Leber	HEP	Peritoneum	PER
Hirn	BRA	Haut	SKI
Lymphknoten	LYM	Andere Organe	OTH

Dieses Einteilungsprinzip zur Erfassung des Primärtumors, der regionären Lymphknoten sowie der Fernmetastasen ist für maligne solide Tumoren gültig.

Neben der Tumorausdehnung hat bei bestimmten Neoplasien auch der Grad der Entdifferenzierung eine prognostische Relevanz. In diesen Fällen ist die Angabe des Differenzierungsgrades G_1-G_4 nützlich. Die TNM-Tumorformel kann durch den Sicherheitsfaktor C_1-C_5 (C = „certainty factor") ergänzt werden, der die Evidenz des Untersuchungsergebnisses charakterisiert.

Beurteilung des Therapieerfolgs

Zur Beurteilung des Therapieerfolgs werden objektive und subjektive Parameter verwendet. Die Erfolgsbeurteilung objektiver Parameter stützt sich auf die objektive Tumorrückbildung, die Remissionsdauer sowie die Überlebenszeit. Während die Angabe der Remissionsdauer und der Überlebenszeit meist keine Probleme mit sich bringt, ist die Beurteilung der Remissionen schwierig, weshalb bei allen soliden Tumoren und malignen Lymphomen weltweit folgende Definitionen Anwendung finden (WHO 1979):

- Komplette Remission: Verschwinden aller nachweisbaren Tumorparameter, dokumentiert durch 2 Kontrolluntersuchungen, die mindestens 4 Wochen auseinanderliegen.
- Partielle Remission: Rückgang der Tumorausdehnung um mindestens 50% über eine Dauer von mindestens 4 Wochen.
- Stabile Erkrankung: keine signifikante Änderung der Tumorausdehnung über mindestens 4 Wochen, Abnahme um weniger als 50% oder Zunahme um weniger als 25%.
- Progression: Erscheinen neuer Tumormanifestationen oder Zunahme bestehender Läsionen um mehr als 25%.

Subjektive Therapieparameter

Die subjektiven Parameter, mit denen ebenfalls der Therapieerfolg definiert werden kann, sind der Allgemeinzustand und die Leistungsfähigkeit. Mit Hilfe von Skalen und Indizes können der Allgemeinzustand und die Leistungsfähigkeit als wesentliche Bestandteile der Lebensqualität quantifiziert werden (Tabelle 1).

Tabelle 1. Gegenüberstellung verschiedener Klassifikationen zur Beurteilung des Allgemeinzustandes und der Leistungsfähigkeit von Tumorpatienten. (Mod. nach Hermanek et al. 1987, Kleeberg et al. 1986, Schmoll u. Fink 1987 und Senn 1985)

Index	Zubrod-Aktivität (WHO, SAKK)	Index	Karnofsky-Aktivität	AJCC-Index	Performance Status Scale
0	Normale körperliche Aktivität, keine besondere Pflege erforderlich	100	Normale Aktivität, keine Beschwerden, kein Hinweis für Tumorleiden	H 0	Normale Aktivität
1	Mäßig eingeschränkte körperliche Aktivität und Arbeitsfähigkeit, nicht bettlägerig	90	Geringfügig verminderte Aktivität und Belastbarkeit		
		80	Normale Aktivität nur mit Anstrengung, deutlich verringerte Aktivität	H 1	Ambulant mit Beschwerden, kann sich selbst versorgen
2	Arbeitsunfähig, selbständige Lebensführung, wachsendes Ausmaß an Pflege und Unterstützung notwendig, in weniger als 50 % der Fälle bettlägerig	70	Unfähig zu normaler Aktivität, versorgt sich selbständig		
		60	Gelegentliche Hilfe, versorgt sich noch weitgehend selbst	H 2	Nicht bettlägerig in mehr als der Hälfte der Zeit, bisweilen fremder Hilfe bedürftig
		50	Ständige Unterstützung und Pflege, häufige ärztliche Hilfe erforderlich		
3	Unfähig, sich selbst zu versorgen, kontinuierliche Pflege oder Hospitalisierung notwendig, rasche Progredienz des Leidens, in mehr als 50 % der Fälle bettlägerig	40	Überwiegend bettlägerig, spezielle Hilfe erforderlich	H 3	Zur Hälfte der Zeit pflegebedürftig oder bettlägerig
		30	Dauernd bettlägerig, geschulte Pflegekraft notwendig		
		20	Schwerkrank, Hospitalisierung, aktive supportive Therapie		
4	In 100 % der Fälle krankheitsbedingt bettlägerig	10	Moribund	H 4	Bettlägerig, stationäre Behandlung nötig

Nebenwirkungen von Zytostatika

Ähnlich den Standards zur Beurteilung des Therapieerfolgs wurden Skalen für die unter oder nach der Therapie auftretenden Nebenwirkungen von Zytostatika entwickelt (WHO 1979). In Tabelle 2 sind typische Nebenwirkungen häufig verwendeter Zytostatika zusammengefaßt (s. S. 130/131).

Nebenwirkungen von Hormonen

Hormonsensible maligne Tumoren, wie das Mammakarzinom, Prostatakarzinom oder Uteruskarzinom, können durch additive oder ablative hormonelle Maßnahmen beeinflußt werden. Sowohl die Zufuhr von Östrogenen, Androgenen, Gestagenen oder Kortisol als auch die chirurgische und strahlentherapeutische Ausschaltung hormonproduzierender Organe können Nebenwirkungen verursachen. Typische Nebenwirkungen hormoneller Therapiemaßnahmen sind folgende (nach Drings 1982):

Androgene:
- Virilisierung bei Frauen,
- Haarausfall,
- Zunahme der Libido,
- Akne,
- Flüssigkeitsretention,
- Cholestase.

Östrogene:
- Übelkeit, Erbrechen,
- kardiovaskuläre Komplikationen,
- Feminisierung bei Männern,
- Flüssigkeitsretention,
- gynäkologische Blutungen,
- Pigmentationen der Mamillen.

Gestagene (in hoher Dosis):
- Übelkeit,
- Flüssigkeitsretention,
- Feminisierung bei Männern.

Antiöstrogene:
- milde Östrogeneffekte,
- selten Thrombopenie.

Glukokortikoide:
- Cushing-Syndrom,
- Katabolismus,
- Flüssigkeitsretention,
- Hypertonie,
- Diabetes mellitus,
- Hyperazidität des Magensaftes mit Ulkusentstehung,
- Unruhe, Psychosen,
- Immundefizienz.

Tabelle 2. Typische Nebenwirkungen von Zytostatika (*BCNU* Carmustin, *CCNU* Lomustin; +gering, ++mittelgradig, +++stark; mod. nach Schmoll u. Fink 1987)

		Knochenmarkdepression	Stomatitis	Durchfall	Anorexie, Nausea, Erbrechen	Neurotoxizität	Zystitis	Hautveränderungen	Haarausfall	Fieber
Alkylanzien	Cyclophosphamid	++			++		++	+	++	
	Ifosfamid	++			++	+	+++		++	
	Chlorambucil	++			+					
	Busulfan	+++			+					
	Melphalan	+++			++					
	BCNU	+++			++					
	CCNU	++			++					
Antimetabolite	Methotrexat	+++	++	++	+	+		+	+	+
	Mercaptopurin	+++					+			
	Thioguanin	+++								
	Cytosin-Arabinosid	+++	++	++	++	++		++	++	
	5-Fluoruracil	++	+		++				+	
Vinkaalkaloide	Vinblastin	++			+	+			+	+
	Vindesin	++			+	++			++	+
	Vincristin	+				+++			+++	+

Antibiotika								
Actinomycin D		++			++			+++
Daunorubicin		+++			++			+++
Adriamycin		+++			++		++	+++
Mitomycin	++				++		+	++
Mithramycin					+++			+
Streptozotocin					++++			
Bleomycin		+	+		+		++	+
Sonstige Substanzen								
Procarbazin				+	++			++
Hydroxyurea		+	+		++			+++
L-Asparaginase							++	+
Etoposid	++	++	+	++	+++		++	++
Cisplatin	++	+	+	+	++		+	+

Therapieziele: Remissions- und Überlebensraten

Patienten mit malignen Erkrankungen können entweder kurativ oder palliativ behandelt werden. Die durch zytostatische Chemotherapie potentiell heil-
baren, disseminierten Tumorerkrankungen, die unter kurativer Zielsetzung
heute behandelt werden können, machen ungefähr 10% aller menschlichen
Neoplasien aus und sind in Tabelle 3 zusammengefaßt.

Tabelle 3. Durch zytostatische Chemotherapie potentiell heilbare maligne Erkrankungen. (Mod. nach Senn 1985)

Tumor	Komplette Remissionsrate [%]	Überlebensrate nach ≥ 5 Jahren [%]
Metastasierendes Chorionkarzinom (Frau)	80–100	80–90
Metastasierte Keimzelltumoren (Mann)	80–100	70–90
Akute lymphatische Leukämie (Erwachsene)	70– 90	30–60
Akute lymphatische Leukämie (Kinder)	70– 90	60–80
M. Hodgkin, Stadium III–IV	80	50
Non-Hodgkin-Lymphome (hochmaligne), Stadium II–IV	80	50
Akute myeloische Leukämie	70	40
Kleinzelliges Bronchialkarzinom	80	10–20
Lokalisiertes Ewing-Sarkom	100	50
Lokalisiertes Osteosarkom	100	60
Chronische myeloische Leukämie (mit Knochenmarktransplantation)	90	50

Tabelle 4. Tumorerkrankungen mit langfristiger palliativer Zielsetzung. (Mod. nach
Senn 1985)

Tumor (inoperabel, disseminiert)	Komplette und partielle Re- missionsraten [%]	Mittlere Über- lebenszeit bei Remission (Jahre)
Chronische lymphatische Leukämie	90–100	3–5
Prostatakarzinom	70– 80	2–3
Multiples Myelom	60– 70	2–3
metastasiertes Mammakarzinom	60– 70	2
Ovarialkarzinome, FIGO III–IV[a]	60– 70	1–2
Endometriumkarzinom	50	1–2
Weichteilsarkome[a]	50	1–2
Plattenepithelkarzinome, HNO-Bericht[a]	50	1–2
Medulloblastom[a]	40– 50	1–2

[a] Vereinzelte „Heilungen" sind möglich.

Tabelle 5. Tumorerkrankungen mit kurzfristiger palliativer Zielsetzung. (Mod. nach Senn 1985)

Tumor (inoperabel, disseminiert)	Partielle Remissionen [%]	Mittlere Überlebenszeit bei Remission (Monate)
Adenokarzinom des Magens	40–50	10–12
Urothelkarzinome	40–50	8–10
Nebennierenrindenkarzinom	30–40	8–12
Übrige Adenokarzinome des Gastrointestinaltrakts	20–30	6–8
Malignes Melanom	20–25	6– 8

Bei palliativer Zielsetzung kann unterschieden werden, ob eine langfristige Palliation mit Verlängerung der Überlebenszeit oder nur eine kurzfristige Palliation ohne Überlebenszeitgewinn möglich ist. Die in Tabelle 4 dargestellten Erkrankungen machen ca. 40% aller malignen Erkrankungen aus. Im inoperablen, disseminierten Stadium kann bei diesen Erkrankungen eine langfristige Palliation erzielt werden.

Eine Reihe von Neoplasien (Tabelle 5) sind nur unter kurzfristiger palliativer Indikation ohne wesentliche Verlängerung der Überlebenszeit behandelbar. Sie machen ungefähr 30% aller Neoplasien aus.

Literatur

Drings P (1982) Allgemeine Richtlinien zur internistischen Krebsbehandlung. In: Ott G, Kuttig H, Drings P (Hrsg) Standardisierte Krebsbehandlung. Springer, Berlin Heidelberg New York Tokyo, S 57

Hermanek P, Scheibe O, Spiessl B, Wagner G (1987) TNM-Klassifikation maligner Tumoren (UICC). Springer, Berlin Heidelberg New York Tokyo

Kleeberg UR, Schreml W, Schönhöfer P-S (1987) Schmerzbehandlung. In: Schmoll HJ, Peters HD, Fink U (Hrsg) Kompendium Internistische Onkologie, 1. Springer, Berlin Heidelberg New York Tokyo, S 345–376

Schmoll HJ, Fink U (1987) Therapiekonzepte. In: Schmoll HJ, Fink U (Hrsg) Kompendium Internistische Onkologie. Springer, Berlin Heidelberg New York Tokyo, S 108–109

Senn H-J (1985) Indikation, Erfolgsaussichten und praktische Durchführung der internistischen Krebstherapie. In: Brunner KW, Nagel GA (Hrsg) Internistische Krebstherapie. Springer, Berlin Heidelberg New York Tokyo, S 92–117

Twycross RC, Lack SA (1983) Symptom control in far advanced cancer: Pain relief. Pitman, London

WHO (1979) Handbook for Reporting Results of Cancer Treatment. WHO offset publication 482: 14–21

Psychische Grundlage von Schmerzempfindung, Schmerzäußerung und Schmerzbehandlung

E. Aulbert und U. Hankemeier

Schwere Schmerzen können auch ohne Gewebeverletzung bestehen. Umgekehrt brauchen schwere Verletzungen nicht mit Schmerzen verbunden zu sein. Angst kann Schmerzen überdimensional verstärken. Umgekehrt kann Ablenkung oder Zuwendung Schmerzen lindern. Sogar Plazebos können analgetisch wirken. Keiner hätte dieses nicht schon erfahren.

Für die Schmerzempfindung ist also die neurophysiologische Reizung einer peripheren schmerzempfindlichen Struktur weder notwendig noch hinreichend. Vielmehr handelt es sich bei der Schmerzempfindung um ein psychologisches Phänomen, das nur das erleidende Subjekt fühlt und das nur von diesem erfahren werden kann – also um eine Empfindung, die zur individuellen Wirklichkeit eines Menschen gehört.

Wie die Schmerzempfindung, so ist auch die Schmerzäußerung primär ein psychologisches Phänomen. Auch hier besteht kein linearer Zusammenhang zur Intensität des Schmerzreizes. So spielen nicht selten bei der Schmerzäußerung frühere Schmerzerfahrungen sowie augenblickliche Befürchtungen und Ängste eine überwiegende Rolle. Auf diese letzte Dimension sollte das Augenmerk gerichtet werden – ist sie es doch, durch die die Schmerzbehandlung bei Tumorpatienten nicht selten ein schwer lösbares Problem wird.

Bei den psychischen Aspekten der Tumorschmerzbehandlung gilt es, folgende Mechanismen voneinander zu unterscheiden, an denen sich auch die Möglichkeiten einer Hilfestellung orientieren:

- Auswirkungen des chronischen Tumorschmerzes auf das psychische Gleichgewicht des Patienten;
- Beeinflussung der Schmerzschwelle durch das Erleben der Krebserkrankung;
- Schmerz als Anliegen, als Mittel der Gestaltung der Arzt-Patient-Beziehung;
- Probleme der Interaktion zwischen dem Patienten und dem behandelnden Team;
- spezifische Situation des mit unheilbar Kranken konfrontierten Personals.

Auswirkungen des chronischen Tumorschmerzes auf das psychische Gleichgewicht des Patienten

Der chronische Tumorschmerz nimmt unter den verschiedenen chronischen Schmerzzuständen eine Sonderstellung ein, da er nicht losgelöst gesehen werden kann von der zugrundeliegenden malignen Tumorerkrankung mit ihren physischen und psychischen Belastungen.

So besitzt der Schmerz für den Tumorpatienten einen zweifachen Signalcharakter. Er erinnert ihn andauernd an das Fortbestehen oder auch Fortschreiten der bösartigen Erkrankung. Darüber hinaus wird der Schmerz und seine Beeinflußbarkeit für den Patienten zum Maßstab dafür, wie erfolgreich der Arzt seine maligne Grunderkrankung behandelt.

Ungenügend behandelte Schmerzen nehmen daher oft die ganze Aufmerksamkeit des Patienten in Anspruch und können einen eigenständigen Krankheitswert bekommen. Der Schmerz hat dann nicht mehr die Funktion eines Warnsignals, sondern wird die Krankheit selbst, die sich mit destruktiven Auswirkungen auf die Persönlichkeit und das Lebensgefühl verselbständigt.

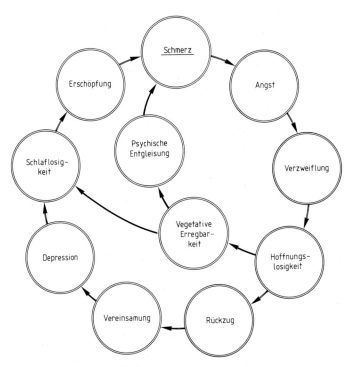

Abb. 1. Schmerzspirale bei Tumorschmerzen

Es wird dann häufig ein Circulus vitiosus in Gang gesetzt, in dem sich Schmerz, Angst, Depression gegenseitig verstärken (Abb. 1). Gefühle der Hilflosigkeit und Hoffnungslosigkeit, verbunden mit reaktiver Depression, stellen sich häufig ein. Das Selbstwertgefühl sinkt, eine generelle Einschränkung der Lebensqualität, verbunden mit sozialer Isolierung und Vereinsamung, tritt ein. Der Schmerz selber wird das zentrale Lebensproblem.

Es ist immer wieder zu beobachten, daß sich bei langdauernden Schmerzen und schweren körperlichen Erkrankungen die Schmerzwahrnehmung zu einem intensiven und quälenden Schmerzerleben ausweiten kann, welches den Betroffenen gänzlich ausfüllen und sogar bis in die Suizidalität treiben kann.

Wie wir aus Gesprächen mit Betroffenen erfahren können, erschweren ungenügend beherrschte Schmerzen darüber hinaus in besonderem Maße die Akzeptanz der Erkrankung: Je größer die Beschwerden sind, die der Patient erdulden muß, desto schwerer gelingt es ihm, eine innere Zustimmung zu der unheilbaren Krankheit zu gewinnen und die erforderliche Trauerarbeit zu leisten.

Oft treibt es ihn dann von Arzt zu Arzt, läßt ihn zu alternativen Heilmethoden abwandern oder treibt ihn in die Hände von Wunderheilern und Scharlatanen – wodurch sich die Isolation verstärkt und eventuelle noch vorhandene therapeutische Chancen vergeudet werden.

Beeinflussung der Schmerzschwelle durch das Erleben der Krebserkrankung

Schmerz ist eine subjektive und emotionale Erfahrung, die sehr individuell ertragen wird. Auch bei demselben Patienten kann der Schmerz in verschiedenen Situationen und zu verschiedenen Zeiten unterschiedlich stark empfunden werden.

Es spielen also Persönlichkeit und psychische Verfassung bei der Gestaltung des Schmerzerlebens eine entscheidende Rolle: Persönlichkeitsmerkmale wie beispielsweise die mehr oder weniger ausgeprägte Fähigkeit, Gefühle zu steuern oder zu kontrollieren, können die Schmerzwahrnehmung akzentuieren oder abschwächen. Jedem klinisch tätigen Arzt ist dieses Phänomen vertraut: Wer kennt nicht Patienten, die ihre Schmerzen mit erstaunlicher Willenskraft, Geduld und Lebensmut ertragen, während andere sich klagsam aus ihren gewohnten Aktivitäten zurückziehen?

Insbesondere Angst spielt bei den Patienten eine besondere, schmerzverstärkende Rolle. Oft wird durch Angst, Verzweiflung, Depression und Trauer, Inaktivität und Vereinsamung die Schwelle für die Schmerzempfindung drastisch herabgesetzt.

Beispielsweise sind bei Krebspatienten Angst vor sozialer Desintegration sowie Angst vor einer Isolation von der Umwelt fast obligate Leidensfaktoren, und zwar unabhängig vom Vorhandensein oder von der Intensität von Schmerzen. Dieser Einfluß der psychischen Grundhaltung auf die Schmerzintensität und Schmerzhäufigkeit sollte nicht unterschätzt werden.

Angst ist in vielen Fällen Ausdruck eines gestörten Arzt-Patient-Verhältnisses – oft verbunden mit einer Hilflosigkeit auf seiten des Arztes oder einer negativen Grundhaltung des Arztes seinem Patienten gegenüber. Ärztliche Hilflosigkeit und Ängstlichkeit werden vom Patienten schnell erspürt, verstärken dessen Angst und Hoffnungslosigkeit und führen oft zu einem gegenseitigen Rückzug.

Auch ein nicht selten zu beobachtender therapeutischer und prognostischer Nihilismus der Betreuer führt oft bei dem Patienten zu weiterer Angst, Isolation und Selbstaufgabe und damit zur Schmerzverstärkung. Hier wirken sich neben ausbildungstechnischen Mängeln oft psychologische Abwehrmechanismen der Betreuer für den Patienten verhängnisvoll aus. Auch dieses ist eine denkbar ungünstige Voraussetzung für eine erfolgreiche Schmerztherapie.

Überhaupt spielen in der Gesellschaft infolge vorurteilhafter Vorstellungen über Wesen und Verlauf von Krebserkrankungen obligate unerträgliche Schmerzen und Leiden – gewissermaßen als Vorboten des ohnehin unausweichlichen Todes – eine überdimensionale Rolle. Krebs und Schmerz werden nebeneinander gestellt und mit Leid und Tod assoziiert.

In der Regel hat insbesondere der ungenügend aufgeklärte Patient oder der mit ungenügendem Wissen über seine Krankheit allein gelassene Patient Angst. Es ist die Angst vor dem Ausgeliefertsein gegenüber der bedrohlichen Erkrankung, die Angst gegenüber unverstandenen Symptomen, die Angst und Hilflosigkeit gegenüber eventuellen diagnostischen Eingriffen oder bevorstehenden unbekannten Therapien. Es wird allzu leicht übersehen, daß der Kranke durch häufige (und z. T. überflüssige) Untersuchungen in permanenter Angst gehalten wird.

Auch diese Angst sensibilisiert die Schmerzempfindung und führt in besonderem Maße zu einer Verstärkung von Schmerzen und Beschwerden. Es muß betont werden, daß der Patient Sicherheit nicht dadurch erhält oder gewinnt, daß ihm Informationen vorenthalten werden, sondern dadurch, daß der Arzt ihn bei der Verarbeitung der Informationen unterstützt und ihm dadurch Sicherheit in der Beziehung anbietet.

So wird immer wieder von Patienten bestätigt, daß Aufklärung und Information über die Diagnose, über erforderliche Untersuchungen und Untersuchungsergebnisse, über therapeutische Maßnahmen und prognostische Möglichkeiten ihre Angst vermindern. Der Patient lernt dabei die Überlegungen des Arztes kennen, umgekehrt nimmt der Arzt das Erleben und die emotionale Reaktion des Patienten vermehrt wahr. Dadurch wird dem Patienten in einer ihn bedrohenden Situation ein Gefühl der Sicherheit und Geborgenheit möglich. Auch dieses lindert Schmerzen!

Schmerz als Anliegen und als Mittel der Gestaltung der Arzt-Patient-Beziehung

Schmerz kann den Charakter einer Mitteilung haben, die verstanden werden muß, um die Schmerztherapie erfolgreich zu gestalten.

Oft erfährt der Patient im Laufe der Zeit, daß sein Schmerzverhalten bestimmte Reaktionen bei den Mitmenschen auslöst. Er spürt, daß er durch sein Schmerzverhalten auf die Interaktion mit dem betreuenden Team Einfluß nehmen kann.

Nicht selten ist zu beobachten, daß beispielsweise verzweifelte Patienten, die sich nach längerer Krankheitsdauer bereits aus ihrem Berufsleben und aus der Gemeinschaft ihrer Angehörigen ausgeschlossen fühlen und keine sinnvolle Perspektive für ihr weiteres Leben sehen, nicht selten nur noch den körperlichen Schmerz haben, um sich selbst lebendig zu spüren und anderen ihre Not mitteilen zu können.

Kommt dem Schmerz diese Funktion zu, so läßt er sich häufig erst dann lindern, wenn dem Patienten aus dieser verzweifelten Isolation heraus geholfen werden konnte. Dieses gelingt oft erst, wenn sich die Ärzte und das Pflegepersonal - beispielsweise in Teambesprechungen - das Problem des Patienten vergegenwärtigen konnten. So kann oft erst eine sorgfältige Klärung der psychischen und sozialen Situation des Patienten zu einer Lösung des vordergründigen Schmerzproblems beitragen.

Dieses Beispiel soll zeigen, daß der Schmerz hier in erster Linie Auskunft über den persönlichen Zustand des Patienten gibt. Durch die Schmerzäußerung gibt der Leidende Informationen über das eigene körperliche und seelische Befinden weiter. Hierdurch bekommt der Schmerz eine wesentliche Rolle in der Beziehung des daran Leidenden zu seiner Umgebung.

Plazebo[1] – das Eingreifen eines Medikaments in die Arzt-Patient-Beziehung

Die Wechselwirkung zwischen Arzt und Patient ist wesentlicher Bestandteil der Wirkung eines Medikaments. Insbesondere das Gespräch, die persönli-

---

[1] Die Bedeutung der Plazebogabe im Rahmen einer kontrollierten wissenschaftlichen Untersuchung zur Wirkung von Medikamenten wird hier nicht berührt.

che Zuwendung, das tröstende Wort des Arztes an den Kranken hat eine analgetische Wirkung. Vordergründig könnte man somit folgern, daß die Persönlichkeit des Arztes einen „Plazeboeffekt" besitzt.

Wir beobachten nicht selten, daß bei Patienten mit schwer beeinflußbaren Schmerzen und oft hohem Analgetikabedarf zwischenzeitig eine als („besonders wirksames") Schmerzmittel deklarierte Kochsalzinjektion verabreicht wird. Zweifelsohne kann eine derartige Plazebobehandlung bei unterschiedlichsten Symptomen – und so auch bei verschiedenen Schmerzzuständen – einen Beschwerderückgang bringen. Das Wesen eines derartigen Plazebos darf jedoch nicht mit der zugewandten Betreuung durch den Arzt, d. h. mit der psychologischen Bedeutung der Arzt-Patient-Beziehung auf eine Ebene gestellt werden. Vielmehr greift das Plazebo störend in die Arzt-Patient-Beziehung ein.

Darüber hinaus ist die Plazebogabe oft mit einer negativen Einstellung des Arztes seinem Patienten gegenüber verbunden. Diese Situation offenbart und verstärkt sich, wenn der Patient den Betrug entdeckt. Daher muß die Plazebogabe als ein fragwürdiges Hilfsmittel bei der Behandlung tumorbedingter Schmerzzustände abgelehnt werden.

Spezifische Situation des mit unheilbar Krebskranken konfrontierten Personals

Nicht zuletzt ist auch die spezifische Situation des mit unheilbar Krebskranken und sterbenden Patienten konfrontierten Personals Teil des psychischen Spannungsfeldes der Arzt-Patient-Beziehung und kann somit ein Problem bei der Tumorschmerzbehandlung werden.

Die bei den meisten Patienten auftretende Trauer, Depression, Hoffnungslosigkeit und Verzweiflung konfrontiert das betreuende Team mit eigenen Ängsten vor einer möglicherweise todbringenden Krankheit.

Untersuchungen zeigen, daß bei Medizinstudenten und Ärzten eine höhere latente Todesangst besteht. Diese unbewußte und verleugnete Todesangst kann in die Arzt-Patient-Beziehung eingehen und führt oft beispielsweise zum Verschweigen der Diagnose, zu besonders kurzen Kontakten zum Patienten, zu einem vorschnellen unrealistischen Trost oder zu therapeutischer Überaktivität.

Ein weiteres Problem ist, daß die Ausbildung zum Pfleger oder zum Arzt sehr stark die Heilungsaufgabe in der Medizin vermittelt. Krankheit wird als eine biotechnische Panne angesehen, die grundsätzlich reparabel ist. Für jede Situation, jedes Problem, jede Normabweichung gibt es ein Gegenmittel.

Daher versteht sich das Krankenhaus als eine Einrichtung, die dem Heilungsprozeß, der Krankheitsbekämpfung, der Wiederherstellung und dem

Erholungsprozeß verpflichtet ist. Und der unheilbare Patient ist eine Bedrohung dieser so definierten Aufgabe. Daher ist für den an seiner Heilungsaufgabe orientierten Arzt auch der chronische, schwer beeinflußbare Schmerz und die zugrundeliegende unheilbare Krankheit ein Zeichen des Versagens seiner kurativen Möglichkeiten.

Und so wird der Patient, dessen Krankheit unheilbar ist und dessen chronische Schmerzen den Arzt andauernd an die Grenzen seiner kurativen Möglichkeiten erinnern, zur Manifestation des Fehlschlages, der Niederlage, des Versagens dessen, dem die Aufgabe des Heilens übertragen wurde.

In diesem auf Erfolg ausgerichteten Heilen führt eine unheilbare Krankheit zu einer Verunsicherung und stellt oft eine Kränkung unserer Eitelkeit dar. Sie löst häufig Abwehrvorgänge in uns aus, die uns behindern, sensibel auf den Kranken einzugehen.

Statt dessen verhalten wir uns ausweichend, vermeiden das Gespräch über die Krankheit und den Schmerz und bringen den Patienten in eine zunehmende Vereinsamung und Isolierung. Dieser Abbruch der Gespräche ist oft für den Patienten die schlimmste Folge seiner Krankheit. Auch dieses ist ein Nährboden für weitere Verunsicherung und Angst.

Psychologische Hilfen bei der Tumorschmerzbehandlung

Neben einer medikamentösen Therapie, die letztlich nur symptomatisch analgesierend wirkt, müssen wir auch auf das zentrale menschliche Problem des Krebskranken eingehen. Die Behandlung der emotionalen Befindlichkeit des Tumorpatienten ist das Entscheidende, wenn wir ihn aus der Krebs-Schmerz-Spirale befreien wollen. Mit anderen Worten: Nicht der Schmerz soll behandelt werden, sondern der Mensch, der Schmerzen hat.

Grundlage unserer Bemühungen muß sein, den Kranken menschlich zu stützen und ihn nicht der Ausweglosigkeit seiner Situation auszuliefern, was automatisch dann geschieht, wenn wir uns von dem Patienten zurückziehen und das tröstende Gespräch vermeiden.

Durch einfache Gespräche, wie sie in ergreifender Form von Kübler-Ross aufgezeigt wurden, kann die Schmerzschwelle auf ein erträgliches Niveau angehoben werden. Das Gespräch, die persönliche Zuwendung erfordert dabei keinen speziellen Sachverstand, sondern meist nur die Überwindung der eigenen Hemmungen vor einem todkranken Menschen. In diese zuwendungsvolle Fürsorge sollten auch die Angehörigen mit eingebunden werden.

Es genügt jedoch nicht das professionelle Gespräch. Vielmehr ist die eigene emotionale Einfühlung die wesentlichste Grundlage der Beziehung, die wir dem Patienten anbieten können. Sie ist nicht nur wichtig bei der Vermittlung von Informationen über die Erkrankung, sondern auch als Grundlage für das Gefühl der Sicherheit und Geborgenheit des Patienten. Dabei ist es auch gerade die persönliche Auseinandersetzung des Arztes mit dem Leiden und Tod, die ganz wesentlich seine Möglichkeiten bestimmt, unheilbar Kranken zu helfen.

Diese emotionale Einfühlung stellt besondere zusätzliche Ansprüche an die Personen, die in der Betreuung krebskranker Personen stehen. Es wurde hier der Begriff „Gefühlsarbeit" geprägt. Diese Gefühlsarbeit beginnt mit dem Sprechen über die Diagnose und das Wesen der Krebserkrankung. Bereits hier wird oft die entscheidende Weiche in der Beziehung zwischen Betreuer und Patient gestellt.

Dabei ist für den Kranken wichtig zu wissen, daß er von seinem Arzt in kontinuierlicher Weise begleitet werden wird. Dieses sollte ihm auch ausdrücklich bestätigt werden. Es wird dem Patienten hierdurch die zuverlässige Beziehung signalisiert, die er braucht, um seine Krankheit zu bewältigen, belastende Therapien durchzustehen und eventuelle Rückschläge während des Krankheitsverlaufes zu ertragen. Diese Verfügbarkeit des Therapeuten und dadurch die Möglichkeit des Aufbaus einer kontinuierlichen Beziehung ist nämlich das wirksamste Mittel zur Verhinderung eines depressiven Rückzuges.

Es hat sich gezeigt, daß das Delegieren der psychischen Betreuung an einen Sozialpädagogen oder Psychologen nicht günstig ist. Es kommt dabei zu einer stärkeren Trennung von somatischen und psychischen Anteilen der Betreuung. Bei dieser Aufspaltung des Patienten in einen körperlichen Teil, für den der Arzt und das Pflegepersonal zuständig sind, und einen psychischen Teil, für den der psychosomatische Fachmann anwesend ist, ist auch häufiger zu beobachten, daß emotionale Signale des Patienten vom medizinischen Personal seltener aufgegriffen werden, da hierfür ja der psychosomatische Kollege „zuständig" ist. Die Folge ist nicht selten eine Störung der offenen Kommunikation zwischen Arzt und Patient. Es sollte daher die psychische Betreuung Teil der Gesamtbetreuung des Arztes bleiben und nicht an einen hierfür zuständigen Fachmann delegiert werden.

Abschließend mag die Sorge ausgesprochen werden, daß für den meistens somatisch orientierten Anästhesisten oder Onkologen diese psychische Dimension des Tumorschmerzes verwirrend oder befremdlich sein könnte. Doch ist gerade die Handhabung der psychischen Faktoren für jede Form von Schmerz wichtig.

Es geht bei der Schmerzentstehung und Schmerzbehandlung gar nicht um die Frage „psychisch" *oder* „somatisch", sondern um ein „sowohl als auch". Das multifaktoriell bedingte Entstehen von Schmerz verlangt daher in den meisten Fällen ein ebenso multifaktorielles, differenziertes Vorgehen. Jedenfalls beruht die Vorstellung, daß *ein* bestimmtes Medikament oder *ein* spezifischer Eingriff die Ursache eines Schmerzes ausschalten wird, auf veralteten Schmerzkonzepten.

Literatur

Adler RH (1968) Schmerz. In: Uexküll T van (Hrsg) Psychosomatische Medizin. Urban & Schwarzenberg, München, S 551-564

Aulbert E (1986) Psychosoziale Betreuung des unheilbar Kranken durch den Arzt. In: Niederle N, Aulbert E (Hrsg) Der Krebskranke und sein Umfeld. Thieme, Stuttgart, S 63-79

Aulbert E, Niederle N (im Druck) Die Lebensqualität des chronisch Krebskranken. Thieme, Stuttgart

Becker H (1982) Die Arzt-Patient-Beziehung in der Onkologie. Med Klin 77: 647-650

Herty H (1984) Psychosoziale Arbeit auf einer onkologischen Station. MMW 126: 223-224

Kübler-Ross E (1969) Interviews mit Sterbenden. Kreuz, Stuttgart

Meerwein F (1984) Probleme und Konflikte des Onkologen und seiner Mitarbeiter. MMW 126: 219-222

Saunders C (1984) The management of malignant disease. Arnold, London

Schara J (1986) Patientenführung bei Krebsschmerz. In: Doenicke A (Hrsg) Schmerz – Eine interdisziplinäre Herausforderung. Springer, Berlin Heidelberg New York Tokyo, S 69-83

Allgemeine supportive Maßnahmen

I. Bowdler

Eine somatisch orientierte medizinische Behandlung allein wird den vielfältigen Problemen von Tumorpatienten nicht gerecht. Im folgenden wird deswegen auf verschiedene Zusatzmaßnahmen hingewiesen.

Selbsthilfe

In der Frühphase einer Tumorerkrankung kann die Hilflosigkeit der Krankheit gegenüber durch Beteiligung an Selbsthilfegruppen reduziert werden. Die Auskunftszentralen der Bundesverbände (Adressen und Telefonlisten am Ende des Beitrages) vermitteln den Kontakt zu den regionalen Gruppen.

Abhängig von Alter und Persönlichkeit des Betroffenen kann die Ermutigung zur aktiven Beteiligung an der Lösung organisatorischer Probleme und die Information (einschließlich Broschüren, Merkblätter) über Ziele, Art und Verlauf der vorgesehenen Therapie dem Gefühl des Ausgeliefertseins entgegenwirken.

Im Gegensatz dazu sollte der Patient vor einer bitteren Enttäuschung über die vergebliche Anwendung von „Wunderheilmitteln" (Diätarten, Therapien mit Vitaminen, Sauerstoff und verschiedene Pflanzenextrakte, deren Wirksamkeit nie bewiesen wurde) möglichst geschützt werden.

Psychologisch orientierte Therapie

Selbst in der Spätphase der Erkrankung kann die Wirkung einer vorwiegend somatisch-pharmakologisch orientierten Behandlung durch psychologische Therapieverfahren wie Entspannungstechniken und Ablenkungsstrategien unterstützt werden. Liegen innerhalb des Familien- und Freundschaftskreises oder in der rückblickenden Betrachtung des eigenen Lebens unbewältigte Konflikte vor, die das Wohlbefinden des Betroffenen beeinträchtigen, so kann auch bei diesen Patienten eine Gesprächstherapie mit dem Ziel einer Krisenintervention sinnvoll sein. Besteht ferner der Verdacht, daß aufgrund von unterschiedlichem Informationsumfang oder Vorstellungen über Prognose und pflegerische Versorgung eine Distanzierung und eine damit verbundene Spannung zwischen den Patienten und seinen Familienangehörigen besteht, so sollte eine gemeinsame Aussprache angeregt werden.

Möglichkeiten der Sozialhilfe

Angesichts einer schwerwiegenden Erkrankung steht der Betroffene oft vor finanziellen Problemen und Versorgungsschwierigkeiten, die er allein nur schlecht lösen kann. Hier kann der rechtzeitige Kontakt mit dem Sozialdienst bei der Stellung realistischer Forderungen und bei der rechtzeitigen Erkennung von Versorgungslücken und deren Beseitigung eine wesentliche Hilfe sein.

In den ersten 3 Jahren nach der Primärbehandlung eines Tumors werden auf Antrag die Kosten von jährlichen Nachsorgekuren vom Sozialversicherungsträger übernommen. Beachtet werden muß, daß eine sog. Anschlußheilbehandlung in Spezialkliniken mit gezielter Versorgung für Tumorpatienten innerhalb von 14 Tagen nach der stationären Entlassung angetreten sein muß. Insbesondere bei jüngeren Patienten sollten die Möglichkeiten einer beruflichen Rehabilitation, beginnend mit Arbeitsversuchen, ggf. Arbeitsplatzumstellung oder gar eine Berufsumschulung, erörtert werden, da eine zu frühe Berentung den Sozialstatus und das Selbstwertgefühl des Betroffenen erheblich einschränken kann. Ist andererseits ersichtlich, daß die Berufstätigkeit nicht mehr aufgenommen werden kann, so sollte ein Rentenantrag nicht erst nach Ablauf des Krankengeldes (78 Wochen), sondern 4–6 Monate davor gestellt werden.

In der späten Phase der Erkrankung ist die Hilfe der Sozialstationen und Hausbetreuungsdienste nicht nur bei der Durchführung der notwendigen Pflege erforderlich, sondern auch in Kooperation mit dem Hausarzt bei Überwachung der Medikamenteneinnahme und der frühzeitigen Erkennung von Nebenwirkungen und Komplikationen. Auch mit dem Ziel, den Patienten so lange wie möglich in seiner häuslichen Umgebung zu belassen, hat sich der Kontakt mit Diensten wie Haushaltshilfe, Besuchsdienst und „Essen auf Rädern" bewährt. In einigen Großstädten der Bundesrepublik Deutschland (Köln, Duisburg, Aachen, Mainz, München und Recklingshausen) sind Hausbetreuungsdienste und Hospice-care-Einrichtungen, die sich gezielt nicht nur für die rein pflegerische, sondern auch für die psychosoziale Versorgung von Tumorpatienten einsetzen, etabliert bzw. im Aufbau.

Schmerztherapeutische Einrichtungen in der Bundesrepublik Deutschland

Schmerztherapieführer (zusammengestellt von H. Seemann, B. Schlote und M. Zimmermann)

erhältlich:

II. Physiologisches Institut der Universität Heidelberg,
Im Neuenheimer Feld 326, D-6900 Heidelberg

Selbsthilfeorganisationen

Deutsche Krebshilfe e. V.
Thomas-Mann-Straße 40, 5300 Bonn,
Tel. (0228) 72990-0

Bundesverband der Frauenselbsthilfe nach Krebs e. V.
L 4, 9, 6800 Mannheim
Tel. (0621) 24434

Deutsche Ileostomie-Colostomie-Urostomie Vereinigung e. V.
(Vereinigung von Patienten mit künstlichem Darm- oder Blasenausgang)
ILCO-Bundesverband
Kepserstraße 50, 8050 Freising
Tel. (08161) 84909, 84911

Bundesverband der Kehlkopflosen e. V.
Luisenstraße 20, 6440 Bebra
Tel. (06622) 1823, 2945

Arbeitskreis der Pankreatektomierten e. V.
(Teil- oder Ganzentfernung der Bauchspeicheldrüse)
– Bundesgeschäftsstelle – Ostpreußenallee 8, 4047 Dormagen
Tel. (02106) 42329

Karitative Einrichtungen

Deutscher Paritätischer Wohlfahrtsverband – Zentrale Auskunftsstelle –
Gesamtverband e. V., Heinrich-Hoffmannstr. 3, 6000 Frankfurt am Main
Tel. (0611) 6706256

Deutsches Rotes Kreuz – Zentrale Koordinations- und Auskunftstelle –
Generalsekretariat
Friedrich-Ebert-Allee 71, 5300 Bonn 1
Tel. (02 28) 54 11

Deutscher Caritas Verband e. V.
Karlstr. 63, 7800 Freiburg
Tel. (07 61) 20 01

Literatur

Anger B, Hautmann R, Porzsolt F (Hrsg) (1987) Pflege und supportive Maßnahmen in
    der Tumorbehandlung. Zuckschwerdt, München
Massie MJ, Holland JC (1987) The cancer patient with pain: psychiatric complications
    and their management. Med Clin North Am 71: 243
Twycross RG, Lack SA (1984) Home Care. In: Symptom control in far advanced can-
    cer. Pitmann, London

Schmerztherapie beim sterbenden Patienten

D. Zech und S. A. Schug

Diagnostische und therapeutische Maßnahmen in der Finalphase sollten sich auf das Allernotwendigste beschränken; bezüglich aller therapeutischen und diagnostischen Interventionen ergibt sich bei dieser Patientengruppe eine andere Nutzen-Risiko-Abwägung. Die medikamentöse Schmerztherapie stellt das Verfahren der Wahl dar; eine bereits eingeleitete rückenmarknahe Opiatanalgesie wird bei ausreichender Wirksamkeit fortgeführt, ggf. ergänzt durch eine systemische Anxiolyse.

Dauermedikation

Prinzipiell gelten die im Beitrag „Medikamentöse Therapie von Tumor-schmerzen" dargestellten Richtlinien, jedoch sollte die Medikation auf die wirklich wichtigen Pharmaka beschränkt werden. Da Anxiolyse, Analgesie und ggf. Sedierung als Therapieziele im Vordergrund stehen, sind dies in erster Linie Opioide und Psychopharmaka. Bei den meisten Patienten ist die orale/rektale Medikation bis zum Tode durchführbar, etwa 33 % müssen parenteral behandelt werden. Zusätzliche Maßnahmen sind nur bei nicht ausreichender Schmerzlinderung indiziert. Auch komatöse Patienten empfinden z. T. erhebliche Schmerzen, z. B. bei pflegerischen Maßnahmen, deshalb sollte auch in diesem Fall die Therapie weitergeführt werden.

Detaillierte Vorschläge zur Therapie des sterbenden Patienten enthält die Übersicht auf S. 148.

Medikamentengruppe	Vorschlag zum Vorgehen
„Peripher wirksame" Analgetika	Absetzen
Zentralwirksame Analgetika	Fortführen, ggf. rektal, s. c. oder per i. v. Infusion
Benzodiazepine	Fortführen oder evtl. neu hinzufügen
Neuroleptika	Fortführen oder evtl. neu hinzufügen
Antidepressiva	Absetzen
Antiemetika	Fortführen
Laxanzien	Absetzen
Kortikoide	Absetzen
Antibiotika	Absetzen
Andere Dauermedikation mit z. B. Kardiaka, Diuretika, Broncholytika, Insulin, Vitaminen	Absetzen, bei Bedarf Sekretionshemmung mit Scopolamin s. c.

Notfallmedikation

Zur Kupierung von Schmerzattacken, Luftnot und anderen Begleitsymptomen hat sich die Gabe einer sog. Notfallmedikation bewährt. Sie sollte bei jedem sterbenden Patienten angeordnet sein, so daß eine schnelle Hilfe durch das Pflegepersonal möglich ist. Bewährt hat sich die Kombination von Morphin, Psyquil und Scopolamin. Bei unzureichender Anxiolyse unter Psyquil ist die zusätzliche Verabreichung eines Tranquilizers aus der Benzodiazepingruppe, z. B. Diazepam 5–10 mg i. m. oder rektal, sinnvoll.

1) Morphin s. c./i. v. (5–10 mg): Analgesie, Sedierung,
2) Psyquil i. m./i. v. (10 mg): Sedierung, Anxiolyse,
3) Scopolamin s. c. (0,25–0,5 mg): Parasympathikolyse, Sedierung.

Indikationsbeispiele:

– schwere Atemnot mit Rasseln (1, 2, 3),
– schwere Blutung (1, 2, 3),
– Lungenembolie (1, 2),
– Spontanfrakturen (1, 2),
– andere akute Ereignisse (nach Wirkungsspektrum).

Die Dosierung erfolgt im wesentlichen nach der klinischen Wirkung. In der Regel ist eine 4stündliche Applikation ausreichend.

Medikamentenübersicht

Scopolamin (Scopolaminum hydrobromicum)

Darreichungsformen: 1 Amp. = 1 ml = 0,25 mg/0,5 mg

Dosierung: 0,25–0,5 mg/4stündlich

Maximaldosierung: 3 mg/Tag

Nebenwirkungen: Mundtrockenheit, Abnahme der Schweißdrüsensekretion (Wärmestau), Hautrötung, Akkomodationsstörungen, Glaukomauslösung, Tachykardie, Miktionsbeschwerden

Literatur

Levy MH (1982) Symptom control manual. In: Cassileth B, Cassileth P (eds) Clinical care of the terminal cancer patient. Lea & Febiger, Philadelphia
Regnard CFB, Davies A (1986) A guide to symptom relief in advanced cancer. Haigh & Hochland, Manchester
Twycross RG, Lack SA (1984) Therapeutics in terminal cancer. Pitman, London

Kasuistik

I. Bowdler, U. Hankemeier und D. Zech

unter Mitarbeit von F. Brandt, K. Schüle-Hein und S. A. Schug

Allgemeine Bemerkungen

In diesem Beitrag wird der Versuch unternommen, exemplarischen Schmerzsituationen eine wertende Reihenfolge der Schmerztherapieschritte zuzuordnen. Vielleicht mag dies etwas vermessen sein, aber die Autoren sind gemeinsam der Meinung, daß es an der Zeit ist, aus der für Patienten unerfreulichen Situation herauszukommen, daß üblicherweise der Arzt den Patienten so lange behandelt, bis er (der Arzt!) „nicht mehr weiter weiß" (d. h. der Patient Schmerzen behält).

Nur die Interdisziplinarität der Ärzte führt aus dieser Situation heraus. Die Autoren haben viele Stunden zusammengesessen und diskutiert. Es gab neben den unterschiedlichen Ausbildungen und Schwerpunkten auch unterschiedliche Erfahrungen und Therapieansätze. Auch der Leser wird vielleicht anderer Meinung sein.

Zusätzlich ist der Umstand zu bedenken, daß kaum eine Schmerzsituation mit der anderen vergleichbar ist.

Grundsätzlich gehen die Autoren bei diesen Fallbeispielen davon aus, daß

- Schmerzursachen unabhängig vom Tumor ausgeschlossen sind;
- Möglichkeiten der kausalen Therapie erörtert und genutzt werden;
- bei invasiven Eingriffen die Lebenserwartung mindestens 3-6 Monate betragen sollte;
- die jeweiligen Indikationen und Kontraindikationen individuell überprüft werden;
- jede Schmerzverstärkung bei laufender Behandlung neue Therapieüberlegungen nach sich ziehen muß.

Fallbeispiele

1) Einseitiger neuralgiformer Schmerz durch Infiltration des Plexus lumbosacralis bei Blasenkarzinom

(a) Perkutane einseitige Chordotomie
  Begründung: Neuralgiforme Schmerzen können durch orale oder peridurale Opiate kaum behandelt werden. Überbrückende Maßnahme: kontinuierliche oder intermittierende Bupivacaingabe über PDK (Beispiel s. unten);
(b) für Restschmerzen orale Analgetika, evtl. bei noch verbleibender neuralgiformer Komponente Antikonvulsiva und/oder Antidepressiva;
(c) intrathekale Neurolyse bei Patienten mit Anus praeter und Blasenkatheter.

Eventuell zusätzlich durchzuführende Maßnahme: lokale Strahlentherapie.

Besondere Hinweise:
- Schmerzen geringeren Ausmaßes auf der unbehandelten Seite, die vor Durchführung einer Chordotomie nicht bemerkt wurden, werden evtl. nach diesem Eingriff wahrgenommen.
- Verlegung des Harnleiters kann zu einem Nierenstau führen, dessen Symptome durch die Analgesie verschleiert werden. Bei Temperaturerhöhung oder Flankenschmerz deshalb sonographische Abklärung!

2) Beidseitige neuralgiforme und kausalgiforme Schmerzen durch Infiltration des Plexus lumbosacralis bei Zervixkarzinom

(a) Kombinationsschmerztherapie:
  - beidseitige lumbale Sympathikusneurolysen L_2–L_4; Begründung: Schmerzreduktion des kausalgiformen Anteils; überbrückende Maßnahme s. Beispiel 1) a);
  - Antikonvulsiva und/oder Antidepressiva;
(b) beidseitige Chordotomie, falls obige Kombinationsschmerztherapie nicht ausreichend erfolgreich;
(c) peridurale Opiatanalgesie mit LA-Zusatz bei präterminalen, bettlägerigen Patienten.

Eventuell zusätzlich durchzuführende Maßnahme: lokale Strahlentherapie.

Besondere Hinweise: Verlegung des Harnleiters kann zu einem Nierenstau führen, dessen Symptome durch die Analgesie verschleiert werden. Bei Temperaturerhöhung oder Flankenschmerz deshalb sonographische Abklärung!

3) Periostknochenschmerz durch diffuse Skelettmetastasierung bei Mammakarzinom

(a) Orale medikamentöse Therapie mit nichtsteroidalen Antiphlogistika (NSA), Opiaten und ggf. Antidepressiva/Neuroleptika in niedriger Dosierung;
(b) peridurale Opiatanalgesie, falls a) nicht ausreichend.

Eventuell zusätzlich durchzuführende Maßnahmen: Hormontherapie, Chemotherapie, Strahlentherapie.

Besondere Hinweise:
- Hyperkalzämie ausschließen!
- Knochenstabilität radiologisch überprüfen!
- Patienten gezielt darauf hinweisen, keine durch die Schmerzkontrolle ermöglichte Fehl- oder Überbelastung einzugehen!
- Verordnung eines Dreipunktstützkorsetts erwägen!

4) Viszerale gürtelförmige Oberbauchschmerzen bei Pankreaskarzinom

(a) Chemische Neurolyse des Plexus coeliacus
   Indikationszeitpunkt: Unwirksamkeit peripher wirksamer Analgetika.
   Als überbrückende Maßnahme bis zur Durchführung der Neurolyse: PDK bei Th_5/Th_6 und 6stündliche Gabe von ca. 6–8ml Bupivacain 0,25–0,375%.
   Bei Nachlassen der Wirksamkeit der Neurolyse sind Wiederholungen des Verfahrens möglich, solange die anatomische Situation dies erlaubt;
(b) Fortführung der oralen Medikation nach Stufenplan;
(c) peridurale Opiatanalgesie, ggf. mit LA-Zusatz bei somatischer Komponente.

Eventuell zusätzlich durchzuführende Maßnahmen: Chemotherapie, Strahlentherapie.

Besondere Hinweise: Restschmerzen können durch Tumorbefall somatisch innervierter Strukturen bedingt sein. Nachweis durch diagnostische Blockaden. In diesem Fall besteht bei umschriebener Schmerzlokalisation die Indikation zur intrathekalen Neurolyse.

5) Kausalgiformer Schmerz durch Kompression des Plexus brachialis bei Bronchialkarzinom

(a) *Orale medikamentöse Therapie* nach Stufenplan mit NSA, Kortikoid und Antidepressivum;

(b) *Therapieversuch* mit einer Serie von Stellatumblockaden oder evtl. axillärem Plexuskatheter;

(c) *Endoskopisch-chirurgische Durchtrennung des Sympathikus* in Höhe von Th$_2$.

Eventuell zusätzlich durchzuführende Maßnahmen: Strahlentherapie und Chemotherapie bei kleinzelligem Bronchialkarzinom.

6) Periostknochenschmerz durch isolierte osteolytische Metastase des Wirbelbogens Th$_{12}$ ohne Beteiligung des Rückenmarks oder einer der Nervenwurzeln bei Prostatakarzinom

(a) *Nichtsteroidales Antiphlogistikum;*

(b) *orales Opioid.*

Eventuell zusätzlich durchzuführende Maßnahmen: chirurgische Ausräumung und Stabilisierung (ggf. Therapie der Wahl); Orchiektomie/Hormontherapie; Strahlentherapie.

7) Einseitige radikuläre Schmerzen in Höhe L$_2$ durch Wirbelbogendestruktion bei Hypernephrom

(a) *Orale medikamentöse Kombinationstherapie* (NSA u. Antikonvulsiva);

(b) *Intrathekale Neurolyse* L$_2$ einseitig (sehr gezielt bei exakter Lagerung und kleinem Neurolytikumvolumen, max. 0,25 ml).

Eventuell zusätzlich durchzuführende Maßnahmen: operative Therapie, Strahlentherapie.

8) Perinealer Weichteilschmerz durch Lokalrezidiv eines Rektumkarzinoms ohne regionäre Knochendestruktion oder neurologische Ausfälle

(a) *Kombinationsschmerztherapie:*
   - nach erfolgreicher bildwandlerkontrollierter beidseitiger lumbaler Sympathikusblockade mit LA beidseitige lumbale Sympathikusneurolyse,
   - orale medikamentöse Therapie nach Stufenplan;

(b) peridurale kaudale Neurolyse (max. 1,2 ml Neurolytikum) (muß alle 3–4 Wochen wiederholt werden);

(c) sakrale intrathekale Neurolyse bei Patienten mit Anus praeter und Blasenkatheter;

(d) peridurale Opiatanalgesie.

Eventuell zusätzlich durchzuführende Maßnahmen: Strahlentherapie, Chemotherapie.

9) Umschriebene Periostknochenschmerzen durch isolierte Metastasierung der 4. und 6. Rippe einer Seite bei Schilddrüsenkarzinom

(a) Chemische Neurolysen der entsprechenden Interkostalnerven (nach vorheriger Testung mit LA).

Wegen der überlappenden Innervierung der Segmente sind hierbei auch zumindest das Segment ober- und unterhalb des Gebietes zu erfassen, d.h. in diesem Falle z.B. die Segmente 3–7;

(b) intrathekale Neurolyse bei nicht ausreichendem Erfolg von a) oder bei postneurolytischer Äthanolneuritis nach a);

(c) orale medikamentöse Therapie nach Stufenplan.

Eventuell zusätzlich durchzuführende Maßnahmen: Strahlentherapie, ggf. Radiojodtherapie.

10) Weichteilschmerz durch lokale Infiltration eines Hypopharynx-Plattenepithel-Karzinoms

(a) Orale medikamentöse Therapie nach Stufenplan, als Opiat ggf. Temgesic sublingual;

(b) zervikale peridurale Opiatanalgesie;

(c) intraventrikuläre Opiatanalgesie.

Eventuell zusätzlich durchzuführende Maßnahmen: Strahlentherapie, ggf. mit Chemotherapie kombiniert.

Besondere Hinweise: Kontinuierliche subkutane Opiatinfusion beim präterminalen Patienten ist zu erwägen.

11) Übertragungsschmerz in den interskapulären Bereich durch mediastinale Infiltration eines Ösophaguskarzinoms

(a) Orale medikamentöse Therapie nach Stufenplan;
(b) zusätzlich: Versuch einer transkutanen elektrischen Nervenstimulation beidseitig paravertebral Höhe mittlere BWS;
(c) zusätzlich: Triggerpunktinfiltrationen;
(d) zusätzlich: physikalische Therapie;
(e) thorakale peridurale Opiatanalgesie.

Eventuell zusätzlich durchzuführende Maßnahmen: Strahlentherapie; Chemotherapie nur bei gutem Allgemeinzustand.

Besondere Hinweise: Soorprophylaxe.

12) Akuter Kopfschmerz durch Hirndruck bei multiplen zerebralen Metastasen

(a) Dexamethason und Diuretika, evtl. Mannitinfusionen;
(b) periphere Nervenblockaden der Nn. occipitales major und minor beidseitig und der Nn. supraorbitales beidseitig (reaktive Komponente);
(c) orale medikamentöse Therapie nach Stufenplan.

Zusätzlich durchzuführende Maßnahme: Strahlentherapie.

13) Leberkapselspannungsschmerz durch diffuse Lebermetastasierung bei unbekanntem Primärtumor

(a) Chemische Neurolyse des Plexus coeliacus, Indikationszeitpunkt: s. Beispiel 4;
(b) Orale medikamentöse Therapie nach Stufenplan mit Kortikoid als Koanalgetikum.

Eventuell zusätzlich durchzuführende Maßnahmen: Chemotherapie, Strahlentherapie.

14) Gemischt parietal-viszeraler Schmerz durch Konglomerattumor und Peritonealkarzinose bei Sigmakarzinom

(a) Orale medikamentöse Therapie nach Stufenplan;
(b) falls a) nicht ausreichend oder nicht möglich (z.B. Subileus): *Neurolyse des Plexus coeliacus* zur Schmerzreduktion;

(c) falls (b) nicht ausreichend oder nicht möglich (Anatomie): *peridurale Opiatanalgesie;*

(d) bei Patienten mit Ileus oder präterminal: *kontinuierliche subkutane Opiatinfusion oder intravenöse Schmerztherapie.*

15) Multilokuläre Schmerzen durch diffuse Fernmetastasierung in Lunge, Leber und Skelett bei malignem Melanom

(a) Orale medikamentöse Therapie nach Stufenplan;
(b) peridurale Opiatanalgesie.

Eventuell zusätzlich durchzuführende Maßnahmen: schwerpunktmäßige Strahlentherapie, palliative Chemotherapie.

16) Algodystrophie und Lymphödem eines Arms als Folge der Behandlung eines Mammakarzinoms

Kombinationsschmerztherapie:
- Stellatumblockadeserie bzw. Plexus-axillaris-Katheter
- orale medikamentöse Therapie mit NSA
- Lymphdrainage, Auswickeln, Hochlagerung, Kompressionsverband etc.
- Dexamethason und Diuretikum
- evtl. endoskopisch-chirurgische Durchtrennung des Sympathikus in Höhe Th_2

17) Brennender Perianalschmerz bei Zustand nach abdominoperinealer Rektumamputation

(a) Beidseitige Sympathikusneurolyse L_3/L_4 nach Testung mit LA;
(b) zusätzlich: peridurale kaudale Neurolyse (max. 1,2 ml Neurolytikum), (muß alle 3–4 Wochen wiederholt werden);
(c) sakrale intrathekale Neurolyse bei Patienten mit Anus praeter und Blasenkatheter;
(d) orale medikamentöse Therapie mit Antidepressivum als Koanalgetikum.

Sachverzeichnis

Acetylsalicylsäure 27
Adjektivliste 11
AJCC-Performance Skala 128
Algodystrophie 18, 21
Amitriptylin 46
Anaesthesia dolorosa 16
Analogskala 14
Antidepressiva 45
Antiemetika 36
Antiepileptika 39
Antikonvulsiva 39
Antirheumatika s. peripher wirkende
  Analgetika
Anxiolytika 41-43
Arzt-Patient-Beziehung 138
Atemdepression 88
Aufklärung 1-9, 15, 62, 71

Bedarfsmedikation 36
behandlungsbedingte Schmerzen 23
Beschwerdeliste 11
Betäubungsmittel, Nachweisführung
  58, 59
-, Rezeptanforderung 50
-, Rezeptbeispiele 52-57
-, Tageshöchstmengen 52
-, Verschreibungsweise 51
Buprenorphin 33
-, rückenmarknah 56, 76, 88
-, Tageshöchstmenge 53, 54
Buscopan 29

Carbamazepin 39, 40
Chlormezanon 41
Chlorpromazin 36, 44
Chordotomie 96, 99, 100, 151
Clonazepam 39, 40
Clonidin peridural 91
Codein 30, 31

Coeliacusblockade 68-71, 152
Compliance 14, 15

Deafferentierungsschmerzen 17
Definitionen 15-19
Dexamethason 37, 38
diagnostische Nervenblockaden 62
Diazepam 41
Diclofenac 27, 49
DREZ 96

Epidemiologie 10

Flurbiprofen 28
Fragebogen 11

Haloperidol 36
Hirndruck 37, 38, 93, 115, 155
Hormontherapie 124-133
Hyperkalzämie 20, 47

Imipramin 46
intrathekale Neurolyse 64, 153
- Opiatanalgesie s. rückenmarknahe
  Opiatanalgesie
intraventrikuläre Opiatapplikation 90,
  94

Kalzitonin 47
Karnofsky-Index 128
kaudale Neurolyse 67
Kausalgie 17, 45, 151, 153
Ketamin, peridural 91
Knochenschmerz 47, 48, 110, 152-154
Koanalgetika 37-48
Kolik 22, 38
Kortikosteroide 37
Krankengeld 144

Lactose 36
Lebensqualität 11, 136
Levomepromazin 44
Levomethadon 33
Lormetazepam 42
lumbale Sympathikusblockade 71
Lymphödem 37, 38, 73, 118, 156

Mammakarzinom 50
Metamizol 27, 28, 50
Metoclopramid 36
Mianserin 46
Morphin, Dosisfindung oral 34
–, Lösung 53, 56
–, –, sublingual 35
–, Nebenwirkungen 35, 36
–, parenteral 50
–, Retardtabletten 35, 49, 55
–, rückenmarknah 56, 86–88
–, subkutan 50
–, Suppositorien 35, 57
–, Tageshöchstmenge 53, 54
Muskelrelaxanzien 41

Nervenkompression 38
Neuralgie 17, 21
neurogene Schmerzen 21, 39, 45, 151
Neurolyse, chemisch 62–75
–, Ganglion gasseri 73
–, Ganglion stellatum 73
–, Nn. intercostales 74
Neurolytika 63, 64
neurolytischer Sattelblock 67
nicht steroidale Antiphlogistika 26–29
Nomenklatur 15–19
Nozizeptorschmerzen 17, 20, 22

Obere Einflußstauung 120
Obstipation 36
Opioide, analgetische Äquivalenz 30
–, Atemdepression 29
–, Nebenwirkungen 36
–, psychische Abhängigkeit 30
–, Rezeptierung s.
    Betäubungsmittelrezeptierung
–, rückenmarknahe 76
–, Toleranz 29

Pankreaskarzinom 62
Paracetamol 27, 28
parenterale Schmerztherapie 49

perianaler Schmerz 67, 156
Periduralanästhesie 89
peridurale Opiatanalgesie 152 (s.
    rückenmarknahe Opiatanalgesie)
peripher wirkende Analgetika 26–29
physikalische Therapieverfahren 14,
    21, 23
Piritramid 50
Piroxicam 29
Placebogabe 138
Portsysteme 77–84
projizierter Schmerz 17
Prostaglandinhemmer 26–29
pseudoradikuläre Schmerzen 18
psychosoziale Faktoren 15, 134
– Therapieverfahren 143
Pumpen, extern tragbar 85
Pumpensysteme 78–85

Quadrantensyndrom 18
Querschnittslähmung 112

Rektumkarzinom 67
Remissionsrate 132
Rentenantrag 144
Rhizotomie 96
rückenmarknahe Opiatanalgesie
    76–92

Schlafstörung 24
Schmerzanalyse 11
Schmerzermittlung 12
Schmerzintensität 23, 134
Schmerzprävalenz 10
Schmerzsyndrome 16–19
Selbsthilfegruppen 143–145
Sozialhilfe 144
Spasmolytika 38
Strahlentherapie 102–123
sympathische Reflexdystrophie 18, 21

Temazepam 43
Tetrazepam 43
Therapieplanung 26, 34, 80, 124
Thermokoagulation, Ganglion gasseri
    94
Thioridazin 44
Tilidin 32
TNM-System 125
Toleranzentwicklung 88
Traktotomie 96

Tramadol   32, 50
Tranquilizer   41-43
transkutane Elektrostimulation   100
Triazolam   43
Tumorschmerzklassifikation   19-24
Tumorstadiumeinteilung   125

Überlebensrate   127, 132

Viszerale Schmerzen   68, 152, 155

Wahrheitsmitteilung   1-9
Weichteilinfiltration   21, 38
Weichteilschmerz   154

Zentrale Schmerzen   19
zentralwirksame Analgetika s. Opioide
Zubrod-Aktivität-Skala   128
Zytostatika   124-133